5ª Bienal Internacional de Arquitetura e Design de São Paulo
metrópole

fórum de debates

13 a 20 de setembro de 2003

fundação bienal de são paulo

instituto de arquitetos do brasil

centro cultural banco do brasil são paulo

apoio

AFAA Association Française d'Action Artistique
AECI Agência Espanhola de Cooperação Internacional
British Council
CIEA China International Exhibition Agency
Consulado Geral da França em São Paulo
Consulado Geral dos Países Baixos em São Paulo
Consulado Geral da Suíça em São Paulo
Embaixada da República Popular da China no Brasil
Embaixada da Espanha
Instituto Goethe
KLM Royal Dutch Airlines
Ordem dos Arquitectos Portugueses
Pro-Helvetia
Universidade Presbiteriana Mackenzie
(Programa de Mestrado em Arquitetura e Urbanismo)

LEI DE INCENTIVO À CULTURA MINISTÉRIO DA CULTURA

GOVERNO DO ESTADO DE SÃO PAULO

PREFEITURA DE SÃO PAULO

Apoio Institucional da Prefeitura do Município de São Paulo – Lei 10.923/90

SECRETARIA MUNICIPAL DO Verde e do Meio Ambiente

giroflex

5ª Bienal Internacional de Arquitetura e Design de São Paulo
metrópole

fórum de debates

Romano Guerra Editora
outubro 2003
São Paulo, Brasil

Fundação Bienal de São Paulo
Instituto de Arquitetos do Brasil
Centro Cultural Banco do Brasil

ficha técnica

Design gráfico
Estação Design Gráfico

Fotolito e impressão
Geo Gráfica

Romano Guerra Editora
Alameda Campinas 51
01404-000 São Paulo SP Brasil
Fone: 11 288.8950
Email: romanoguerra@vitruvius.com.br
www.vitruvius.com.br/romanoguerra

locais do evento

Fundação Bienal de São Paulo
Pavilhão da Bienal
Parque do Ibirapuera – portão 3
04094.000 São Paulo SP Brasil
Fone: 11 5574.5922
www.bienalsaopaulo.org.br

Centro Cultural Banco do Brasil
Rua Álvares Penteado 112 Centro
01012-000 São Paulo SP Brasil
Fone: 11 3113.3651
www.cultura-e.com.br

Universidade Presbiteriana Mackenzie
Auditório João Calvino
Edifício João Calvino
Entrada pela Rua da Consolação, 896
Fone: 11 3236 8792 (c/ Marcos)

divulgação

Vitruvius – Portal de Arquitetura e Urbanismo
Fone: 11 288.8950
forum@vitruvius.com.br
www.vitruvius.com.br/forum

agradecimentos

Affonso Orciuoli, Alvaro Javier Berrondo, Ana Flávia Medina, Ana Vaz Milheiro, Andréa Benatti, Andrea Lucchesi, Andréa Moura, Angélica Primi, Belline Yang, Beto Guimarães, Carolina Novaes Moggi, Celia Gambini, Celine Nascimento, Claudia Mauracher, Cristina Cavalheiro, Daniela Della Volpe, Domenico Tinelli, Fernando Guerra, Giambattista Mondada, Giselda Visconti, Hans Glaubitz, Isabel Fachini, Isabel Zaragoza, Jacques Peigné, Jean-Marc Laforêt, Joachim Bernauer, José Geraldo Simões Jr., Juan Guerra, Julien Abinal, Jupira Corbucci, Lídia Helena Dias de Oliveira, Linda de Rooij, Luciane Lucas, Marcelo Barbosa, Marcos Hering, Marie-Laure Maron, Nelson Kon, Nicolas Borel, Odécio Roland Filho, Olívia de Oliveira, Pascual Navarro, Paul Meurs, Paula van Baak, Paulo Dizioli, Pedro Moreira, Philippe Bonhôte, Rob 't Hart, Sander Christian Troost, Serge Butikofer, Stephen Rimmer, Trudy van der Hoek, Valentina Moimas, Yara Kerstin Richter.

O Fórum de Debates da 5ª Bienal Internacional de Arquitetura e Design, promovido pela Fundação Bienal de São Paulo, Instituto de Arquitetos do Brasil e Centro Cultural Banco do Brasil reuniu em São Paulo, de 13 a 20 de setembro de 2003, diversos arquitetos e intelectuais para debaterem questões fundamentais sobre a metrópole contemporânea. Meio ambiente mostrando sinais de esgotamento, mobilidade de enormes contingentes de rejeitados pelo sistema econômico, concentração exponencial das riquezas, fome, desespero, violência, medo – os graves problemas que assolam as grandes aglomerações em todos os continentes, são frutos de amplos processamentos históricos, que acabam se materializando em megalópoles imensas, onde a qualidade de vida fica soterrada pelo descontrole. O pensamento arquitetônico e urbanístico, dentro dos limites de sua disciplina, tem buscado nas últimas décadas soluções mais abrangentes e flexíveis, que dêem conta da complexidade dos dias atuais, resultando em espaços urbanos voltados para o bem estar da coletividade. Por outro lado, a importância crescente da infra-estrutura, que se torna cada vez mais o próprio suporte da vida metropolitana, a informática e a ecologia são questões emergentes significativas, que condicionam as transformações da realidade atual das metrópoles, que solicitam novas abordagens e novas propostas.

Fundação Bienal de São Paulo
Instituto de Arquitetos do Brasil

As metrópoles são complexas organizações sociais e humanas. Administrar os gigantescos problemas das megacidades é um desafio em constante evolução. Acima de tudo, o planejamento dos grandes centros urbanos deve se preocupar com a qualidade de vida dos seus moradores. É com satisfação que o Centro Cultural Banco do Brasil participa da 5ª Bienal Internacional de Arquitetura e Design de São Paulo, que busca discutir a metrópole e sua multifacetada relação com o homem, a partir das experiências de grandes cidades do mundo. Ao sediar painéis de debates sobre os espaços culturais e a revitalização de áreas centrais, que visa refletir sobre a complexa, porém inadiável, reestruturação urbanistica de centros históricos, reforça seu compromisso com a requalificação da área central da cidade de São Paulo, onde está instalado. Cidades são organismos vivos, que existem para promover o bem-estar de seus habitantes. Atuando no âmbito da cultura e da preservação do patrimônio histórico da cidade de São Paulo, temos a honra de receber especialistas internacionais para debater temas que são vitais para o futuro da vida metropolitana.

Centro Cultural Banco do Brasil

Abilio Guerra

Vivemos hoje, possivelmente, em um período que poderá ser conhecido no futuro como os estertores dos tempos modernos. O mesmo misto de angústia e esperança diante da cidade moderna maquínica que inaugurou essa era – e que acabou gerando as grandes linhagens culturais do romantismo e do positivismo dos quais o Movimento Moderno é o filho mais dileto –, está presente nos dias atuais. Os receios e as esperanças do momento atual já não são motivados pelo universo mecânico, amplamente domesticado pela cultura do século XX. A fonte de onde irradiam as atuais energias de transformação é ainda pouco compreendida em sua amplitude, mesmo considerando sua esplendorosa visibilidade nos discursos dos mais variados grupos sociais.

O déficit que as sociedades ocidentais carregam nos ombros neste novo momento de enfrentamento histórico é muito grande. Atravessamos um século onde as promessas progressistas e as barbáries regressivas muitas vezes eram a face da mesma moeda. O exemplo mais candente é a perplexidade no olhar dos cientistas em Los Alamos ao constatarem que a aventura científica tecnológica na qual mergulharam por anos, uma das mais formidáveis da história da humanidade, havia culminado na devastação e morticínio em Hiroshima e Nagasaki. Um século onde se perpetuaram os *fronts* de guerra, que evoluíram da trincheira ao míssil teleguiado, em um dramático aumento de produtividade na obtenção da morte do semelhante. Um século que amanheceu utópico, convencido da progressiva e inabalável melhoria da sociedade, mas que se especializou na destruição, onde os seus maiores promotores não é apenas o terror sem rosto, mas igualmente o governo constituído. Um século, portanto, que se mostrou incapaz de resolver sequer os problemas que herdou, quanto mais os que criou.

O nascer do novo século e do novo milênio nos coloca diante dos olhos um quadro com cores dantescas: meio ambiente desequilibrado pela via dupla que retira de suas entranhas, de forma rápida, quantidades ilimitadas de matérias-primas esgotáveis e devolve outras tantas incontáveis quantidades de dejetos tóxicos e poluentes, que só perderão suas qualidades funestas após um processo de depuração com uma lentidão secular ou cósmica; mobilidade em várias regiões do globo de enormes contingentes de rejeitados pelo sistema econômico hegemônico, que concentra de forma exponencial as riquezas nas mãos de grupos sociais cada vez menores, congregados em um clube cada vez mais restrito de países; imensos estabelecimentos humanos espalhados pela superfície do globo terrestre, sem ações coordenadas ou planejamento eficazes no controle de seus efeitos sociais malignos e formas medonhas e incoerentes. Uma realidade que não é "privilégio" de ninguém, pois o que hoje podemos ver são ricas metrópoles dos países de 1º mundo conviverem com enclaves paupérrimos de 3º mundo e pobres metrópoles dos países do 3º mundo com enclaves magníficos de 1º mundo.

Os infortúnios são, contudo, a mola propulsora das utopias redentoras nas quais os homens se apegam para acreditar no futuro ou mesmo para suportar o passado. Para cada malefício que constata, o homem elabora um sucedâneo que julga eficaz, processo mental curioso de recalcar a verdade incontestável de que as mazelas reais das sociedades humanas são frutos delas mesmas, de como se articulam para uma vida em comum, de como se organizam para produzir, de como se desorganizam para dividir. Os mecanismos psicológicos e intelectuais de reação ao atual estado de coisas resultam em discursos operativos que buscam respostas e soluções concretas para os malefícios detectados. A degradação do meio ambiente é enfrentada com o pensamento ecológico que aposta no desenvolvimento sustentável. Os efeitos nefastos de desterritorialização promovidos pela globalização são combatidos com mecanismos de regionalização e identidade, que enxergam no enraizamento uma forma legítima de resistência. As pressões privadas, cujas obscuras forças desagregadoras da vida democrática se multiplicam tentacularmente por todo o tecido social, se vê inesperadamente diante de novos e engenhosos mecanismos promovidos pela sociedade civil, que volta a cobrar da gestão pública uma rediviva postura coordenadora. O mais difícil, contudo, é realizarmos um balanço satisfatório do quanto essas novas crenças e ações são de fato inovadoras e transformadoras e o quanto são embebidas em resquícios de crenças inoperantes.

Kop van Zuid,
projeto urbano de Riek Bakker
Foto de Rob 't Hart

Platéia da palestra de Filomena Russo, do escritório Foster and Partners
Foto Juan Guerra

No campo específico que nos diz respeito – a arquitetura e o urbanismo, pensamentos e ações que justificaram a reunião de tanta gente neste fórum de debates –, as dúvidas são muito maiores do que as certezas, afinal o pensamento urbanístico, nos seus mais variados registros, foi incapaz durante todo o século anterior de conceber mecanismos de atuação realmente inovadores para lidar com os graves problemas crônicos. O passado mais recente – em especial as três últimas décadas, que teve que lidar com problemas desconhecidos por sua gestação recente ou nova abrangência – conheceu urbanistas perplexos com a insuficiência coordenadora de sua disciplina. Certamente tal perplexidade espelha a sociedade atual, que não tem uma percepção aprofundada da conturbada e mutante realidade em curso, levando os urbanistas atuantes a buscar de empréstimo no conhecimento disponível, produzido ao longo do século XX e mesmo no anterior, o arsenal de conceitos e modalidades de intervenção.

A percepção de que a velocidade dos meios de transporte de massa e das mídias eletrônicas impõe o paroxismo da anulação do espaço foram herdados dos estudos do arquiteto-filósofo francês Paul Virilio levados a curso durante a década de 70, visão de mundo que chegou a ser muito discutida no Brasil nos anos 80. A visão abstrata e estrutural do plano estratégico é tributária das discussões realizadas pelos planejadores urbanos nas décadas de 60 e 70, mesmo que tenham ocorrido diversos deslizamentos conceituais, em especial a drástica redução da escala de intervenção. A infra-estrutura como suporte da vida metropolitana foi desenvolvida na pauta utópica por Constant e sua Nova Babilônia e pelo Archigram de Peter Cook e suas cidades que andam, e na pauta realista pelos arquitetos metabolistas japoneses. O primado dos espaços públicos contínuos é uma retomada da figuração moderna, em especial Le Corbusier, que por sua vez refletia a visão higienista do século anterior. A retomada da noção de lugar aconteceu no contexto italiano do segundo pós-guerra, num ambiente intelectual certamente cheio de nostalgia, mas foi rapidamente assimilada e tratada como uma retomada de "valores tradicionais" – a rua, a praça, o pátio –, ou seja, não exatamente uma retomada da iconografia arquitetônica, mas sim a proposição de uma tipologia urbanística que poderia recuperar qualidades perdidas pelas cidades.

Tal fusão de teorias e valores muitas vezes contraditórios busca conciliar a dimensão física dos fluxos e redes infraestruturais – transporte de massa sob trilhos, vias de velocidades estratificadas para autos, água potável, luz elétrica, gás encanado, cabos de fibra-ótica, etc. – e o campo da subjetividade, da vivência cotidiana, aspectos compartilhados por todo habitante dos grandes aglomerados humanos. Hoje um edifício arquitetônico pode ser considerado, dependendo do ponto de vista, como artefato plugado em um sistema complexo ou elemento simbólico na paisagem urbana. Uma dinâmica que habita as coisas e as mentes, onde o significado unidimensional e estático parece já não ter mais vez, mas que ainda não encontrou um discurso coerente para descrevê-la.

Não cabe aqui pressupor falta de criatividade ou conservadorismo arraigado no pensamento urbanístico atual. O momento histórico no qual vivemos se assemelha àqueles que antecederam grandes transformações sociais da humanidade, onde o conjunto de valores coletivos tornam-se anacrônicos, incapazes de dar conta das novas demandas nas várias instâncias culturais e civilizacionais. Nesse sentido, pensamentos inovadores não são frutos de escolhas ou preferências individuais, mas forjados no entrechoque de visões de mundo que surgem no calor das transformações históricas. O paradigma vigente, pensado como o conjunto de valores mentais e psíquicos que dão sentido ao mundo atual, está cada vez mais corroído por questões emergentes subversivas, das quais as mais importantes são – em nosso entendimento – a genética, a informática e a ecologia. Na primeira, a genética, impera ainda o debate ético e as implicações na vida coletiva, sendo que na cena urbana ainda fazem parte da ficção científica ou de incipientes – mas de qualquer forma instigantes – preocupações isoladas de alguns teóricos da "arquitetura genética". Contudo, são cada vez mais evidentes as pressões transformadoras das quais as outras duas estão prenhes.

A informática, de certa forma, coloca-se na série de inovações tecnológicas e científicas que sempre marcou a era moderna, mas suas características distintas nos colocam diante de situações diferenciadas. Tal como a máquina na passagem do século 19 para o século 20, a nova tecnologia transcende sua dimensão técnica e cada vez mais faz parte do cotidiano, transformando corações e mentes. A mudança da percepção do mundo ocorrida nas últimas duas décadas, onde o simulacro eletrônico substitui o registro mecânico da realidade, coloca-nos diante de novos sonhos e novas exigências. Cada vez mais a relação presencial torna-se desnecessária para a eficácia da produção e circulação de bens materiais. Contudo, inesperadamente, nunca na história da humanidade se presenciou tanta ânsia de contatos humanos coroando afinidades descobertas na virtualidade do mundo digital. Fenômenos de desurbanização – impulsionados pelo trabalho à distância – e a multiplicação de eventos diversos – congressos, simpósios, convenções, etc. – são as duas faces da mesma moeda.

A ecologia, pensamento voltado para a relação equilibrada homem e meio-ambiente, tem sua origem datada pelos historiadores ao remoto século XVI. Contudo, vai ser no século que terminou que ganhará uma significativa e crescente importância na agenda política mundial. Certamente o pesadelo das explosões atômicas no Japão, que colocou a humanidade pela primeira vez diante de uma real auto-extinção, e a consciência da finitude de matérias primas e recursos energéticos, forçaram a humanidade a considerar as necessidades da preservação da natureza, da utilização de recursos recicláveis e da busca de fontes de energia não poluentes e renováveis. As instalações humanas no território, das mais aglomeradas às mais esparsas, sofrerão profundas transformações, tendo como pauta a tensão entre a crescente artificialização da vida e as necessidades espirituais e éticas de reencontro e respeito à natureza.

A genética, a ecologia e a informática são as forças propulsoras de um novo paradigma da existência humana que se aproxima, que pressentimos, mas que desconhecemos ainda por completo sua figuração. O papel que caberá à arquitetura e ao urbanismo nesse novo mundo que se avizinha é uma incógnita e sua relevância será consagrada por circunstâncias variadas, muitas delas fora de nosso alcance intelectual ou institucional. Mas seria muito bom que nos preparássemos para o novo, olhando de frente para o futuro e nos preparando para os desafios que nos aguardam. Nos textos que apresentamos a seguir temos, portanto, o registro de um momento de transição, onde o velho e o novo formam amálgamas simples ou complexos, onde o leitor poderá dar sua importante colaboração tentando decifrá-los.

[Texto e que serviu de base conceitual para a participação dos convidados do Fórum de Debates da 5ª Bienal Internacional de Arquitetura e Design de São Paulo]

Mesa redonda com Paul Meurs, Regina Meyer (palestrante), Abílio Guerra (coordenador) e Carlos Roberto Monteiro de Andrade
Foto Juan Guerra

Benedetta Tagliabue EMBT Arquitetos Associados

Começaria com uma história autobiográfica. Como arquitetos, podemos realizar as coisas pensando de maneira muito viva, como também muito instintiva, fazendo as coisas passarem como que por cima de nossa própria pele. Para mim esta é a forma mais real de responder ao que se tem que fazer. E contar a história no que diz respeito a estes assuntos é contar a história das descobertas que tive com Enric Miralles no decorrer de nossa vida profissional comum e através da nossa vida familiar. Descobrir lugares da Cidade Velha de Barcelona onde vivíamos e trabalhávamos, era conhecer os edifícios em que íamos morando e deixar que nos ensinassem coisas, aprendendo pouco a pouco sobre elas.

1 O primeiro escritório que tivemos juntos era num edifício que encontramos na área mais antiga de Barcelona, na rua Avignyó. Morar nele era como acatar um pouco dos limites que encontramos quando chegamos a um lugar. Primeiro, o limite econômico; segundo, o de ser um espaço físico antigo que já fora habitado antes e com ele ter que aprender. Foi uma espécie de aprendizagem contínua de como morar e trabalhar na área antiga.

As coisas que se encontram nas paredes são parte da vida.

2 Nossa casa foi um desses lugares que encontramos abandonados na área antiga. Pouco a pouco fomos nos instalando nele e encontrando toda esta sobreposição de camadas sobre as quais nós também íamos sobrepondo outras paredes, outras pinturas. E percebemos que não somos mais do que os muitos que viveram nesses lugares. O tempo dessas coisas não é uma "história" ou um patrimônio com o qual se tem uma distância, mas é o próprio tempo em que vivemos, nessas mesmas posições que viveram outros que haviam pintado estas paredes, e que haviam estado perto dessas janelas, que haviam desfrutado da luz que entra por aquelas aberturas. Locais que foram lugares de experimentação para fazer uma série de projetos. Nossa casa era o lugar em que íamos experimentando a convivência entre arcos góticos dentro da parede, os livros, um quadro, como colocar as coisas para que não caíssem no chão. No início são apenas coisas que você faz em casa, muito privadas, para depois se transformarem em lugares mais envolvidos com o resto da realidade.

3 Eu realmente acredito que sem a experiência da nossa casa não poderíamos ter realizado a Câmara Municipal de Utrecht. É um edifício que tem a dinâmica de agregar partes e transformar outras, sendo que o que transformamos ou o que adicionamos tem exatamente a mesma hierarquia do que foi encontrado no edifício existente. É um edifício antigo constituído por muitas casas. Decidimos tirar apenas uma delas para poder contornar o edifício, criando uma praça como nova entrada ao prédio. Um conglomerado de casas como as casas da cidade – Stadhuis. Um sentimento de culpa nos fez levar a esta parte da entrada as cornijas que tiramos do edifício, conformando uma fachada entre o real e o fantasmático.

A maneira de relacionar o novo e o antigo é quase natural. Encontramos uma nova escada próxima a uma parede e um teto antigo e assim a nova praça se relaciona com os outros edifícios da cidade velha de Utrecht.

4 Em Veneza o sentimento de medo de intervir em um patrimônio de uma consideração especial é grande. Há sempre dificuldade de começar um diálogo com uma cidade como Veneza. Qualquer definição que se encontre no fim é banal. Veneza não permite nenhum tipo de palavra. Nosso edifício está na zona industrial e compõe outra vez o tecido que está por trás da cidade. Ou seja, a Veneza Menor com a Veneza Industrial do século passado. Tivemos a idéia de tocar o solo com o edifício de uma maneira que era feita tal como em outros edifícios que gostamos. Olhando a igreja de San Giorgio Maggiore vemos como a pavimentação é claramente artificial. As escadas em Veneza nos fazem quase supor que o edifício desce e chega a tocar o solo com uma grande delicadeza. O edifício que propusemos tem a escada como elemento principal, quase como uma maneira de tocar a terra com as pontas dos pés. Ele é mais denso em cima, com as salas de aula na parte superior, e com um espaço

Mercado de Santa Caterina, Barcelona. Projeto de renovação de EMBT Arquitetos Associados
Foto Alex Gaultier

aberto à cidade na parte de baixo, um espaço aberto que respira. De um grande pano de vidro vemos a água e esse é o lugar no qual nos permitimos a parte mais narrativa. Cheia de pedras de vidro de Murano. É como a referência mais narrativa com a cidade de Veneza.

5 Explicarei um pouco da história do projeto do mercado de Santa Caterina. Será útil para seguir um pouco no tema da autobiografia, como relação ao projetar arquitetura ao lado de um patrimônio existente.

O projeto de Santa Caterina, que para nós tem sido muito importante para nos embatermos com o tema da relação com o patrimônio histórico, tem a característica de estar ao lado de nossa casa. Era nosso mercado, ou seja, o lugar onde íamos pessoalmente comprar. Ali a mãe de Enric fazias suas compras e também a sua avó. Sabíamos um pouco da história do local quase de maneira direta. Pode-se ver muito bem ali o espaço que correspondia anteriormente a um convento.

Ou seja, esta área tão grande foi possível existir num tecido urbano tão denso como o da Cidade Velha de Barcelona, justamente porque ali havia um edifício especial, um convento, que foi demolido no século passado quando vigorou uma lei espanhola que alterou muito as características das cidades históricas da Espanha.

A derrubada desse convento permitiu a presença de um mercado muito grande e extenso, em um lugar onde não havia espaço para nada. Começando a olhar ao redor deste edifício, um pouco como o projeto de Veneza, quase sem querer ter idéias, apareceu esta forma de olhar para cima.

Vimos que este espaço tão grande na Cidade Velha se caracteriza fundamentalmente por ter um grande espaço de céu, uma marca muito grande, contrariamente ao que ocorre nas ruas estreitas. Olhar para cima se transformou em uma ação muito importante para nós podermos compreender e realizar este mercado.

De fato, não nos colocavam nenhum limite; poderíamos tê-lo derrubado. Porém, foi importante para nós, olhar e aprender com este edifício. Estes tetos tão altos de mercado e a maneira como a luz entra depurada são muito importantes porque depois enxergamos as coisas que são vendidas no mercado à altura dos olhos. Ou seja, os olhos, embora estejam olhando a fruta, a verdura, o peixe, estão influídos muito por esta altura e por este teto e pela maneira que a luz entra nesse espaço. Isto era o que nos interessava.

Aproximamos a Cidade Velha de nosso escritório fazendo uma maquete de cartolina completamente detalhada, que representava a área antiga de Barcelona tal como é nesse momento. Vê-se uma cidade que tem uma brutalidade e, ao mesmo tempo, uma parte romântica e de memória, tão importantes como a presença dessa dificuldade de falta de ar e de espaço.

O mercado tinha que se renovar e também renovar toda a área ao seu redor.

Tentamos fazer com que este novo movimento pudesse ser engendrado nesse lugar e gerasse o novo movimento para esse pedaço da cidade. Sabíamos que isso era um pouco como captar os fluxos e tentamos inventar uma nova cobertura para o edifício que fosse capaz de primeiramente alcançar o movimento da Via Laietana e, posteriormente, conectar todo o resto do bairro, fazendo com que tudo se tornasse um novo espaço.

Desse modo, estudamos também o bairro e sua volumetria. Depois dessas primeiras idéias sobre a maquete, o trabalho foi praticamente inventar uma cobertura capaz de relacionar a cidade com o movimento da Via Laietana e também de preservar algumas partes do edifício que decidimos manter, como é o caso das paredes perimetrais.

Essas mesmas paredes que mantivemos mudaram completamente com a nova cobertura que colocamos, que inventa um nível de horizonte muito diferente.

O projeto que agora está sendo executado é um projeto onde mantivemos e acrescentamos coisas novas, sempre procurando pensar em tudo como sendo da mesma época, o que está se fazendo agora e o que encontramos anteriormente. Inventar um lugar novo, inventar a nova imagem de Santa Caterina, descobrindo-a.

Durante a escavação encontramos tanto a fundação do convento de Santa Caterina, como as fundações do mercado que, de maneira brutal, foi construído por cima. Aqui se lêem tantos rastros que era quase impossível, mesmos para os arqueólogos, chegar a entender a sobreposição de todas essas épocas em um único nível, abaixo da cota 0.

A vida do novo mercado necessitava da existência de um estacionamento, assim tivemos que encontrar uma solução compromissada mantendo somente a parte mais simbólica dos restos arqueológicos: o lugar das ábsides, o gótico e as 3 pequenas ábsides da igreja românica com a cripta no meio. Foram cobertos por uma praça e pode-se descer para visitar os restos arqueológicos ou vê-los através de lanternins.

O que eu gosto muito agora em que o edifício está em construção, é fazer com que fotógrafos profissionais, que têm uma grande sensibilidade e uma capacidade de mudar as coisas só com a lente de suas câmeras, façam uma série de fotografias e de visões das coisas que estão acontecendo ali.

Durante as obras constatamos que Santa Caterina é um lugar arqueológico que é, ao mesmo tempo, contemporâneo, dos anos 60, do século passado, gótico, românico, até mesmo romano.

A arqueologia que nós estamos fazendo é uma arqueologia absolutamente contemporânea, que se transforma a cada dia da obra.

Nas fotos do fotógrafo Domi Mora destaca-se a idéia de confundir a época e o valor da arqueologia. A arqueologia que está sendo feita nesse momento, confundindo os restos com a cidade e transformando o tamanho, a dimensão e a importância das coisas através da visão.

Coisas grandes ou coisas pequenas, depende do ponto de vista.

Descendo nas escavações, o fotógrafo consegue fazer com que percamos a referência de escala das coisas e talvez também a de escala de valores. Quanto mais descemos sob a terra mais estes restos da cidade antiga e da parede perimetral do mercado vêm a ter o mesmo valor de um acúmulo de terra removida pelas pás. Creio que para nós arquitetos todas estas coisas são muito úteis, porque vamos nos certificando e acreditando pouco a pouco e mais e mais que aquilo que projetamos ou construímos tem o mesmo valor que o restante.

Se trabalha ao mesmo tempo porque tudo está presente de uma só vez.

Temos que ter um respeito especial às pessoas que fizeram nosso mesmo trabalho há 100, 200, 500 ou mil anos. E respeitar seu trabalho é respeitar o nosso.

Aqui há mais imagens do que as que os arqueólogos iam encontrando. Aqui aparece o convento onde encontraram 500 ou mais esqueletos, pouco a pouco estes esqueletos se confundem com os esqueletos da construção.

Um pedaço de uma construção antiga e um pedaço da nova é, de uma certa forma, a mesma coisa.

Esta obra, esta parede e estes ferros como coisas; para o fotógrafo ou para nós têm o mesmo valor. Assim como uns olhos pintados na placa da obra pelos vizinhos de Santa Caterina.

Foi uma surpresa e também um jogo divertido perceber que estes mesmos elementos que fazemos e que representam um edifício que construímos também podem se relacionar com o resto da cidade antiga.

A maquete do mercado de Santa Caterina está exposta no Colégio de Arquitetos de Barcelona, que se encontra a poucos metros do local do mercado. A maquete de Santa Caterina se relaciona com seu entorno mais próximo. Formando parte da cidade antiga, da praça da Catedral, é levada para fora de seu lugar e comparada com o restante da cidade velha.

Reflete-se nessa superfície irregular e vai se transformando e desaparecendo.

Poderia chegar a um momento em que Santa Caterina deslocada e refletida transforme totalmente sua imagem e ninguém mais a reconheça.

[Mercado de Santa Caterina, Barcelona. Arquitetos Enric Miralles e Benedetta Tagliabue. Arquitetos responsáveis: EMBT, Igor Peraza, Joan Callís. Colaboradores: Hirotaka Koizuni, Josep Miàs, T. Sakamoto, M. Cases, C. Chara, J. Poca, A. Vazquez, M. Dario, J. Belles, A. Bramon, S. Crespi, G. Grondona, L. Valentini, A. Passetti, Ll. Corbella, J. Carvajal, M. Fukuda, A. Landell de Moura, I. Zaragoza, T. Skoetz, A. Verschuere, L. Gestin, A. M. Henao, E. Cattaneo, F. Asunción, L. Giovannozzi, A. Hoëller, S. Bauchmann, S. Techen, B. O. Brandt, M. Olsen, F. Vetcher, N. Becker, R. de Montard, M. Galindo, B. Appolloni, J. F. Vaudeville, P. S. Nagy, M. Chizzola, F. Asunción, I.Quintana, C. Molina, M. Vermeiren, T. Schmid, Hirotaka Kuizumi, A. Ebbeskov Olsen, D. Rosselló, F. Mozzati, F. Jacques-Dias, F. Hannah, E. Rocchi, R. Flores, G. Zambrana, Ll. Cantallops, A. M. Tosi, M. Forteza, A. Galmer, L. Bonforte, T. Gottschalk, S. Eckert, U. Grölz, T. Wuttke, L. Tonella, S. Le Draoullec, M. Carrera, E. Prats, R. Brufau, J. M. Velasco, M. Llorens]

[Palestra 02, CCBB-SP, 13 de setembro de 2003]

Expansão urbana na zona leste de Pequim, China
Foto Shi Guorui

Urbanização e desurbanização

A origem da cidade

A urbanização é o deslocamento da população da área rural fechada para a área urbana aberta, uma tendência progressiva da sociedade e um fenômeno inevitável e regular que acompanha o crescimento econômico.

Como um fenômeno histórico, a cidade é o resultado da civilização e progresso do ser humano ao longo da história e um importante símbolo do desenvolvimento sócio-econômico que representa a civilização social. Apesar do mundo estar enfrentando vários problemas urbanos, a cidade, sem dúvida, tem participado de maneira importante na crônica do desenvolvimento da sociedade. A cidade é a nata da vida humana no globo.

O desenvolvimento e evolução da cidade são o resultado do desenvolvimento e evolução das forças sociais produtivas, constituindo uma reflexão objetiva sobre as transformações dos padrões sócio-econômicos. O desenvolvimento das cidades do mundo passou por quatro estágios: as cidades antigas, as cidades medievais, as cidades modernas e as cidades contemporâneas, cada qual com seu significado e posição na história. As cidades antigas trouxeram a prosperidade preliminar à humanidade e criaram uma esplêndida cultura na história, enquanto as cidades modernas, com estrutura única, padrão e velocidade, surgiram no ocidente e conseqüentemente em numerosos países e distritos orientais.

A cidade é o lugar de permanente residência para populações heterogêneas, e um ambiente substancial criado pela humanidade através do trabalho criativo para sobrevivência e desenvolvimento. Com a diversidade social do trabalho, a cidade transformou a carreira social, a qual é mais personalizada do que no campo. Estando as atividades econômicas e moradias centralizadas em regiões do país, a cidade proporciona negócios privados e órgãos públicos com o espaço geográfico da escala econômica.

A urbanização é o processo de avaliação e troca dentro das exigências das normas econômicas e da transição para o novo valor cultural como sua primitiva força impulsora. Com um olho nessa apresentação, a urbanização tem as seguintes características básicas:

– A proporção da população urbana no crescimento geral da população, e a população agrária que se tornou população não-agrária, é demonstrado pelo fato de que nos países desenvolvidos do mundo mais de 80% das pessoas moram nas cidades. Há 20 anos atrás apenas 20% dos chineses moravam em cidades, enquanto hoje mais de 40% habitam as cidades, e esse número ainda está em crescimento pelos próximos 20 anos;

– A cidade está se expandindo em escala e tamanho e mantendo-se atualizada. Novas cidades e centros urbanos passaram a ocupar áreas rurais. Como a essência dos recursos humanos e técnicos está concentrada na cidade, a cidade tem sua força produtiva tremendamente maior do que a do campo. A escala da cidade está muito relacionada às suas forças produtivas. Por isso, quanto maior for a escala da cidade, mais possível se torna a combinação otimizada dos recursos humanos, materiais e técnicos. Como respostas às exigências do desenvolvimento das forças produtivas e expansão da escala da cidade, dezenas de metrópoles com população de mais de dez milhões apareceram no mundo, e tais metrópoles possuem cidades satélites à sua volta.

– Popularização e aumento da relação entre a economia urbana e o modo de vida.

Berço da cultura urbana: origem e características da cidade

A estrutura dualística entre cidade-campo se tornou obscura. Nas periferias das regiões urbanas, costuma existir uma zona de transição entre a cidade e o campo com seu limite não definido. De fato, essa área é influenciada pela proximidade dos serviços urbanos que formam a zona urbanizada, ou a área metropolitana. Isso reflete na expansão dos serviços urbanos e representa uma tendência internacional.

A área metropolitana é formada pelo efeito penetrante preliminar da economia urbana. Na condição da economia moderna, especialmente com o efeito do mecanismo do mercado, cidades irradiam suas influências muito além da área onde estão estabelecidas, alcançando as regiões rurais adjacentes com a migração populacional, emprego, compras, cuidados médicos, educação, atividades culturais e de recreação. Com o progresso da expansão da área de serviços urbanos, o alcance da economia urbana vai desde a área onde está estabelecida até as regiões periféricas, o que gera a economia integrada da região da cidade e da zona rural.

A área metropolitana é o primeiro estágio na expansão da região de economia urbana, que possui três tipos de origens: a primeira origem é a expansão da área central para os arredores, com abordagem do superior ao inferior e de dentro para fora como principal força. Essa abordagem influi no aumento de oportunidade de negócios ao longo das necessidades do país nas atividades produtivas sendo suplementadas pelos subúrbios e pelo investimento contínuo de energia da cidade. A segunda origem é o desenvolvimento mútuo da cidade e da área rural adjacente sendo a urbanização do subúrbio o principal modelo. A urbanização do subúrbio é o processo de emergência das periferias, que levou as áreas de cultivo se tornarem áreas não cultivadas. Agricultores passaram ativa ou passivamente a trabalhar meio período no cultivo ou deixaram esse trabalho. A economia rural se transformou de agricultura orientada à indústria orientada e serviço orientado, onde o modo de vida rural se transformou em modo de vida urbano. A terceira origem se dá com o aumento de oportunidades de trabalho na cidade o que atrai um grande número da população rural excedente a ir para a cidade. Isso resulta, por um lado, na sobrecarga da infra-estrutura existente, e por outro lado, o agrupamento da população migrante na periferia da cidade para que seja reduzido o custo de vida e trabalho. Dessa maneira, forma-se o território expandido da cidade com a emergência de novas comunidades. Portanto, o agrupamento de populações migrantes ao subúrbio acelera o processo de urbanização.

Formação do distrito metropolitano (Metropolitan Stretch District – MSD)

A área metropolitana é a expansão geográfica da economia urbana no espaço, que emerge a partir de uma experiência específica regional. O MSD consiste em um número de zonas urbanizadas intensamente, um conceito muito similar à *metropolitan band* (faixa metropolitana) proposta por especialistas estrangeiros. MSD não significa uma conexão puramente geográfica de uma área já estabelecida da cidade. Por natureza, essa é a zona de alta urbanização e integração da área urbana e rural que consiste em um número de áreas urbanas centrais. Enquanto a metrópole deve ser uma poderosa junção, propulsora e incubadora de uma só vez, o MSD deve ser altamente congregado na economia, na ciência e tecnologia, cultura, informação e talentos com intensiva interação, o qual proporciona enorme potencial para inovações tecnológicas e inovações científicas. Portanto com a tendência da globalização econômica, o MSD pode se tornar não apenas o principal distrito para impulsionar a economia nacional e desenvolvimento social mas também ser o fator de aumento da competição e cooperação internacional.

Geração da cultura metropolitana

Assim como a produção da próspera civilização agrícola nos tempos da agricultura, a cidade em seu longo curso de desenvolvimento, e evolução da cidade contemporânea tem criado um novo modo de vida, uma nova cultura – a cultura metropolitana.

A urbanização é a grande tendência da sociedade, e isso traz enormes oportunidades para a humanidade e leva o homem a um mundo cada vez mais civilizado. A cidade transforma o relacionamento entre as pessoas e a natureza no nível popular, e transforma a relação de vida e produção entre os indivíduos e a natureza na relação de vida e produção entre as massas de formação social e a natureza. Como partehumana orgânica da grande natureza, a cidade está relacionando a multidão de uma nova forma. Durante o processo de recombinação do que é feito pelo homem e as substâncias naturais, a cidade cria certos espaços geográficos com estrutura e centro sociais. Através da combinação de instalações residenciais e estradas, a cidade reestrutura o modelo de combinação de substâncias naturais e fatores, que fazem a cidade – uma substância natural secundária – ser um ambiente artificial com nova estrutura ecológica.

Enquanto persegue o beneficio econômico, a cidade cria sua cultura distinta e cria novos "cidadãos metropolitanos". No inter-relacionamento da economia e cultura urbana, a cidade se torna o centro de desenvolvimento social.

Culto à cultura urbana

Baseado nos princípios da ideologia da substância decisória, podemos notar que o status original dos não-metropolitanos de ânsia pela cultura metropolitana deve derivar da psicologia da curiosidade e reverência para os novos produtos e instrumentos criados por poderosas forças produtivas, e a produtividade da metrópole é mítica para a multidão não-metropolitana, e essa mitificação naturalmente transforma as coisas criadas pela cidade.

Como analisada pela teoria da sociologia urbana, a cidade é uma importante circunstância de vida ao ser humano; a cidade é o centro da cultura humana, da criação da civilização e expansão nos tempos modernos; a cidade é a origem do desenvolvimento de várias estruturas e sistemas; a cidade simboliza a prosperidade e decadência de uma nação ou região; e a cidade representa um novo modo de vida.

Pelo ponto de vista econômico, a emergência e o desenvolvimento das principais funções da cidade está relacionado ao seu benefício econômico: aumentando a escala potencial do mercado local; larga escala no mercado local pode reduzir o custo de produção; custo para importar material bruto e componentes para a região local pode ser muito reduzido se forem proporcionados serviços públicos e utilitários; acumulação de configuração vocacional e mecanismos de acordos; diretores talentosos e grupos de empresários na cidade; condições superiores disponíveis na metrópole por organizações financeiras e comerciais; a centralização da cidade pode prover grande variedade de instalações para recreação, atividades sociais, educação, etc e em bases regulares; círculos de negócios preferem estar centralizados na cidade para operação e direção mais eficiente; e centralização geográfica inspira a iniciativa para reforma.

A múltipla orientação da cultura urbana é demonstrada pela grande inclusão de modelos de desenvolvimento da cultura urbana, que absorve a essência de culturas de várias regiões dentro da província ou do país. Essa multi-orientação é também representada pela característica externa de troca internacional que é cada vez mais freqüente.

Ideologia e modelo de cultura metropolitana

Observando o modelo de cultura, a cultura que prevalece na metrópole contemporânea inclui filmes, televisão, grandes eventos de esporte, que são rapidamente espalhados pela massa por sua enorme influência de efeito visual e de áudio através da rota da mídia e de tecnologia modernas. Os criadores da cultura contemporânea estão colecionando e monopolizando as elites da cultura contemporânea, portanto o impacto causado na visão e audição do homem é imenso. Enquanto isso a cultura metropolitana se aprofunda na análise e demonstração das questões sociais e humanas e tem mais poder do que as tradicionais formas de cultura como a ópera, a literatura e leituras populares – livros de histórias ilustrados.

A cidade muda os hábitos e costumes anteriores das pessoas. O ritmo rápido de vida e a intensa competição na cidade nos força a procurar um modo de vida sadio, aplicado e visando à frente ao invés de uma ideologia de tranqüilidade, simplicidade e modesta prosperidade no campo. O eventual resultado da urbanização é cultivar nova personalidade, inspirar e dar total liberdade para os que possuem potencial e criatividade. A urbanização permite que cada vez mais pessoas aproveitem a civilização moderna tendo a cidade como seu centro. Essa é a cidade onde novas coisas aparecem e se proliferam. Teatro, cinema, museu, ginásio, entre outros,foram primeiramente abertos nas cidades, ônibus elétrico, metrô, rede e muitas outras instalações públicas e utilitários foram primeiramente construídos nas cidades. A vida de variedades e cores da cidade faz as pessoas metropolitanas entenderem a essência da civilização moderna melhor do que aqueles que vivem na zona rural. Sem dúvidas, a cultura contemporânea tem muito mais charme do que as culturas na área agrícola, ou da pesca, e do círculo militar. O que leva as pessoas a se aproximarem e se reunir em cidades é a evolução de vilas até se tornarem cidades e a evolução de cidades se tornando metrópoles é o valor da cultura.

Imagem arquitetônica: suporte da paisagem urbana

A urbanização causa mudanças no modo de vida das pessoas, da vida rural tranqüila para a vida na cidade movimentada e barulhenta, e da vida da cidade tradicional e elegante de sinos ao amanhecer e tambores ao anoitecer para a vívida e energética paisagem de muitos arranha-céus e malhas de vias expressas congestionadas.

Entrando no século XXI, o homem está prestando maior atenção ao meio ambiente. O padrão moldado de cidade, em particular, conota razão e intelectualização. Portanto o padrão de cidade do mundo liderado pelos dos países desenvolvidos, revelam as seguintes características:

– Expansão. Durante o processo de urbanização na segunda metade do século XX, com o triunfo dos subúrbios e a contra-urbanização, a concentração de população urbana nas áreas centrais das cidades foi substituída pela expansão das áreas periféricas, o que levou a expansão do alcance da cidade e mais a fusão de cidades inter-relacionadas. Passou a alcançar os distritos adjacentes, chamados de grande área metropolitana. O elemento de ligação da grande área metropolitana é a trama de linhas viárias entre cadeias arquitetônicas, o qual é um alcance visual aos complexos arquitetônicos.

– Alto adensamento. Sincronizado com o crescimento horizontal, verticalmente a cidade moderna está cada vez mais alta. Com o rápido desenvolvimento da moderna tecnologia na arquitetura, a otimização de espaços e efetividade podem gerar altos edifícios que acomodem a população que prolifera em uma determinada área. Os altos edifícios são marcantes na paisagem das metrópoles contemporâneas. Sem dúvida, altos edifícios geram alta densidade.

Até este século, meio ambiente e desenvolvimento sustentável se tornaram os principais temas tratados por todos os círculos desde a liderança até as pessoas comuns. Todas as cidades do mundo possuem os mesmos objetivos de aumentar o verde e otimizar a balança urbana ecológica.

Problema de pluralidade e unidade no modelo cultural causado pelo culto à cultura metropolitana

Conforme a cidade toma a posição principal, muitas configurações estruturais, conceitos e elementos do sistema social são germinados pela cidade. A cidade é um grandioso sistema ecológico feito pelo homem com elementos internos e composição estrutural muito mais complicados e padrão ecológico externo mais diversificado do que um sistema rural.

Vida cultural diversificada dos residentes urbanos

A cidade é o centro cultural de certo país ou região. Desde a emergência da cidade, a criação, difusão e variação da cultura humana começa na cidade. Até o século XX, as mais avançadas instalações e grupos culturais estão concentrados nas cidades. A paisagem humana e o nível de avanço cultural na cidade representa o nível de civilização de certa região. Entrando no século XXI, a cultura urbana revela seu valor excepcional e seu charme único. Tal valor e charme não são apenas registrados em escritos, mas também são componentes básicos que penetram em todos os campos e setores da vida social e econômica, sendo importante aspecto para promover o desenvolvimento político e econômico da sociedade.

Comparada com o campo, as características diversidade e pluralidade da cultura urbana são representadas pelo seguinte:

– Diversidade nos modelos e organizações culturais.

– Na cidade são encontrados todos os tipos de grupos culturais, todos os tipos de elementos e instalações culturais, como salas de concerto, teatros, cinemas, grupos de teatro, bibliotecas, museus, livrarias, parques, campos de esporte, ginásios e etc.

– Diversidade no que se refere à cultura social, especialmente a cultura de comunidade na cidade. A cultura corporativa, a cultura militar, a cultura do campo e as sociedades acadêmicas não-governamentais e abundantes associações são incomparáveis à fechada zona rural.

– Pluralidade no desenvolvimento do mercado cultural, especialmente na pluralidade da multidão urbana consumidora. Com o progresso da ideologia das pessoas, do conceito e modo de vida, a meia idade e os jovens não são mais a grande maioria consumidora. Ao contrário, as amplas áreas de diversões para crianças e casas de dança populares para meia idade e idosos estão em alta. O mercado urbano cultural vai se tornar um local popular de consumo de diferentes idades, ocupações e níveis.

Abundante variedade da arquitetura urbana

O desenvolvimento contínuo da cidade e o rico meio de vida nela encontrado proporcionaram o aparecimento de uma arquitetura urbana de numerosas funções e de enormes dimensões. A formação gradual de cidadãos desencadeou uma mudança da propriedade da sociedade urbana. A cidade não mais existe unicamente por razões militares ou políticas ou por razões econômicas. Ela se tornou cada vez mais personalizada e acomoda as pessoas com locais para vários tipos de atividades. Além de palácios tradicionais, edifícios religiosos e residenciais, as novas construções são edifícios públicos variados nunca vistos na história da construção urbana, como ginásios, hotéis, museus, galerias de arte, bibliotecas, *shopping centers*, escolas, edifícios de escritórios, salas de concerto, cinemas, centros de conferências e um grande número de instalações recreativas. Essas arquiteturas de variadas funções possuem diferentes efeitos visuais em dimensões, materiais e componentes e agrupam-se de vários modos para formar uma paisagem arquitetônica urbana rica e vívida, que é também uma das características que mais a difere da zona rural. O contraste marcante na imagem externa reflete o também marcante contraste entre a vida urbana e a vida rural, e o contraste de superioridade e inferioridade na formação constitui uma força esmagadora da civilização metropolitana para derrubar a civilização agrícola.

Estereótipo intermunicipal do modelo cultural

Não pode ser negado que o processo de urbanização, que tornou a cultura urbana hierárquica com um modelo único, diferente do modelo cultural na zona rural e na história, é uma grande contribuição para a civilização humana no desenvolvimento da cidade. Porém, existe um sério problema, quando o mesmo modelo cultural é estereótipo em certas cidades no mesmo período de tempo, o que apaga a diversidade inter-regional e a variedade de culturas tradicionais.

O valor unitário conquista a ideologia urbana, e seu reconhecimento impede a criatividade. Por essa razão, quando se pensa em cidades grandes, médias ou pequenas na China você pode sentir que nenhuma insinuação visual ou de comportamento irá ajudar a lhe indicar onde você está. Não importa se você está em Pequim ou em outro lugar do sul, você encontra o mesmo padrão arquitetônico, ouve a mesma música ou até mesmo aproveita o mesmo tipo de vida noturna. Nessa situação, é lamentável que a diversidade e características próprias estejam se tornando um tipo de valor, porque a diversidade deve ser um fenômeno universal que existe naturalmente entre culturas de diferentes cidades, e tal diversidade provoca uma eficiente nutrição à cultura nacional, que é necessária para a saúde da ecologia cultural. De outro modo, é perigoso que o mesmo fruto seja produzido por várias culturas de cidades diferentes.

Enquanto centro político e cultural da China, Pequim possui dois terços da elite de tecnologia e cultura de todo o país, e serve como primeira opção de espaço às culturas externas. Pequim possui posição grandiosa psicologicamente entre todas as outras cidades da China, especialmente no norte. Tudo que acontece em Pequim, não importa se é bom ou ruim, irá ressoar uma série de ecos e influências. Por exemplo, Pequim arqueou ruas, e muitas outras cidades seguiram na luta de arquear as ruas. Quando o então chamado "altar" foi construído em um lugar qualquer em Pequim, outras cidades fizeram uma imitação. Não querendo deixar atrás a capital com projeto ecológico e brilhante, outras cidades lançaram os mesmos projetos sem considerar as conseqüências da atual situação. Essa tendência de imitação vulgar e de ideologia unificada teve influência prejudicial. A China possui vasto território e larga variedade de características geográficas, fisico-geográficas e climáticas assim como diversidade em tradições históricas, costumes e hábitos, e a cultura de cada cidade deve ser distinta em sua beleza e charme. Essa riqueza em modelos culturais que é harmônica mas diferente uma da outra é de importância crucial para o cultivo da ideologia formada pelos cidadãos e para o desenvolvimento da cultura nacional.

Desurbanização

A construção urbana teve um grande impulso em todo o mundo por mais de um século, e o progresso da urbanização cultivou a civilização urbana, para a qual cantaríamos músicas de louvor. Porém uma série de problemas ocorreu durante o curso. Pertinentes a esses temas surgiram algumas idéias, ações e conseqüências. Algumas são passíveis de aceitar a tendência mundial de urbanização, enquanto outras são positivas em suas ações, como na desaceleração apropriada da velocidade de urbanização, regulação apropriada de relações de produção de ecologia, e propostas de desenvolvimento sincronizado de civilização material e civilização espiritual. Ambas idéias e algumas medidas levam à diminuição do ritmo de desenvolvimento urbano. Aparentemente são uma espécie de anti-urbanização ou não-urbanização, porém os resultados eventuais das abordagens passiva e positiva têm propriedades totalmente diferentes. Devemos observar o fenômeno e analisar a razão prudentemente. A tendência atual de não-urbanização está amarrada aos problemas ocorridos no desenvolvimento urbano e ela é representada pelos seguintes aspectos:

– Super-urbanização. Esse é um padrão desequilibrado de urbanização, e sua característica principal é ter a velocidade de urbanização maior do que a velocidade de industrialização. A urbanização não está baseada na fundação da industrialização e no desenvolvimento da agricultura. Ao invés disso, o desenvolvimento urbano está propulsionado pela indústria terciária tradicional no seu estágio mais primitivo, conseqüentemente a urbanização é de baixa qualidade. Algumas cidades são superpovoadas e a construção da infra-estrutura está altamente afastada da urbanização da população. A cidade não consegue oferecer oportunidades de trabalho adequadas às necessidades de vida. A urbanização é responsável pelo sacrifício do desenvolvimento da agricultura, que leva a uma "síndrome urbana" que é arriscada para o desenvolvimento econômico da cidade. A principal razão da super-urbanização reside na contradição da estrutura da economia dúbia cidade-campo, a condição sub-desenvolvida da economia nacional, e a falta de investimentos necessários e gestão imposta pelo Estado. Esse modelo de urbanização é universalmente visto na maioria dos países em desenvolvimento.

– Síndrome metropolitana. Aqui aparece uma série de síndromes pertinentes à metrópole durante seu desenvolvimento, como déficit habitacional, poluições, problemas de tráfego e outros problemas sociais. A principal razão para esses sintomas inclui, primeiramente, a natureza desbalanceada e a ecologia social da cidade. Comparada a cidades pequenas, a existência e desenvolvimento das metrópoles dependem de um sistema natural ecológico correto. A vida das pessoas e o desenvolvimento sócio-econômico interagem com o meio natural ecológico. O sistema ecológico urbano pode ser piorado sob pressão excessiva do desenvolvimento social. Alta densidade de fábricas, empresas, população e veículos causam a falta de recursos hídricos, poluição da água, poluição sonora, e poluição do ar. Na China, 180 cidades sofrem com a falta de água, das quais 40 sofrem severos cortes. Quase metade das cidades está exposta à poluição. Pequim e Xangai estão listadas entre as 10 cidades mais poluídas do mundo. Além disso, a superfície de asfalto e os tetos de concreto têm propriedades térmicas distintas comparadas ao solo. No verão, a transpiração é pequena e o calor não pode ser rapidamente disperso, além dos problemas de drenagem e dispersão das chuvas. No inverno, devido à alta condutividade das paredes e tetos de concreto, o calor é rapidamente disperso. Além disso, a temperatura média na área urbana é maior do que no subúrbio, formando ilhas térmicas. No verão ao meio-dia em Xangai, a temperatura externa é três graus mais alta do que em áreas abertas.

– A deterioração da ecologia é o maior desafio da urbanização. Urbanização acelerada e o crescimento da população urbana influenciam diretamente a estrutura regional e o meio geográfico, que causa diretamente a alteração do meio ecológico. Conseqüentemente o processo de urbanização danifica o meio ecológico. Esse fenômeno é visto em todos os lugares. Baixo nível de recursos e energia, falta de empenho do poder contra o desperdício de água e gás, extinção gradual de espécies são fatores de influência adversos para o potencial de desenvolvimento sustentável urbano e situação espiritual de seus habitantes. Como lembrado em 1971 num Congresso sobre Cidades Alemãs, aquele era o momento de "salvar nossa cidade". De fato, o século XX sentiu a aceleração da urbanização e severos problemas da cidade. As pessoas deram-se conta de que a estrutura urbana estava totalmente desorganizada, distritos centrais não funcionaram, e os meios sociais pioraram. Algumas cidades se confrontaram pelo aumento abrupto de população e quantidade de veículos piorando o ar e a água, além dos ruídos, e de fato a poluição do meio natural tornou-se pior dia após dia. A UNEP (Programa das Nações Unidas para o Meio Ambiente) acredita que a poluição é uma das dez maiores calamidades do globo e ameaça o desenvolvimento humano e o crescimento das cidades. Em 1950, somente 29 de 100 pessoas viviam em metrópoles, enquanto hoje em dia são 45. Três bilhões de pessoas vivem em cidades, totalizando quase a metade da população total. Vinte cidades têm mais de 10 milhões de habitantes, das quais 14 estão em países em desenvolvimento. Grandes populações danificam o meio urbano. Lixo, desperdício de água e gás prejudicam o espaço de vivência das metrópoles.

– O processo da urbanização e o tema da "anti-urbanização". Uma das principais características da urbanização é a concentração maciça de população nas cidades. Entretanto, desde os anos 1970, surgiram os movimentos "anti-urbanos" de mudança da população para cidades menores, em países ocidentais desenvolvidos. A área central das metrópoles tende a acomodar sedes de empresas ou órgãos de decisão. A disposição concentrada de organizações nas áreas centrais beneficia a eficiência do trabalho. Porém devido ao alto custo da terra e aos altos impostos, habitantes se mudam para o subúrbio. Setores tradicionais da indústria (manufatura) em algumas cidades estão dispersos em regiões periféricas, o que leva à migração dos trabalhadores industriais. Em algumas cidades, devido à degradação da habitação e da infra-estrutura, a qualidade de vida decai, o que inicia o dominó da migração de escalões prósperos, enfraquecimento dos negócios e posterior migração de empresas e unidades comerciais, e logo migração de residentes. A tendência é aparente em Pequim e Xangai em anos recentes. A migração de residentes e líderes de negócios leva a um aumento enorme no tráfego, o que é adverso ao desenvolvimento econômico e se constitui como uma das maiores razões em se multiplicarem os problemas sociais.

Desurbanização é a repreensão e revisão para a cultura inferior e padrão cultural unitário das cidades contemporâneas.

Durante o século passado, as pessoas fizeram muitas apostas e previsões sobre o futuro do desenvolvimento urbano e o futuro do padrão da metrópole e formas de vida. Quando confrontados aos temas do tráfego, ecologia, consumo de energia e outros problemas sociais causados pela expansão sem rumo irrestrita da cidade, as pessoas começaram a reconsiderar as aparentes contradições irreconciliáveis contidas no padrão da cidade, e puseram o próprio desenvolvimento urbano em xeque. "Não-urbanização" é um conceito definido em diversos níveis. Dúvida e negação são significados superficiais que parecem se opor ao processo de urbanização e contrários à contínua expansão da cidade, suspeitando da "glória" da cultura urbana. Ainda pior, pensa-se que nossa ação contemporânea de criar cidades é a de produzir novas "cidades culturalmente arrasadas". Essa atitude é passiva e unilateral, porém representa a opinião de muitos cidadãos. Eles perdem sua tranqüilidade e seu modo natural de viver, e a perda não consegue ser compensada pelo ganho. Na sociedade urbana moderna, os que perderam terreno para licenças de residências (*hukou*) ou os que fugiram do campo para a sorte da cidade têm uma disposição remanescente porque agora permanecem na incerteza da falta de esperança da cidade. A metrópole cresce em tamanho enquanto a construção cultural corre muito atrás, enquanto a cultura metropolitana não é saudável nem comovente.

O mais profundo significado de "não-urbanização" é "pós-urbanização", que é mais construtivo do que crítico. Adeptos da pós-urbanização são desapegados em relação à urbanização e expansão em escala metropolitana, e têm opiniões prudentes sobre o futuro da metrópole e a síndrome metropolitana atual. Eles pensam que a cidade e o campo não são simplesmente uma relação de opostos, a cidade tendo seu lado refinado enquanto o campo é considerado natural e simples. Urbanização não é somente a expansão extensiva, mas mútuo desenvolvimento e amalgamação das culturasrurais e urbanas. Construção e prosperidade da cultura rural injetam vigor na cidade. O outro caráter da urbanização é o fluxo de população de forma extensiva, especialmente do campo para a cidade. Se um padrão cultural rural bom e saudável é mantido e desenvolvido, o fluxo da população é uma contribuição para a cidade para além de seu fardo. Visualmente, desenvolvimento urbano é ilustrado com um grande número de paisagens pesadas feitas por homens que substituem a paisagem pastoral. No entanto, a estratégia da urbanização do campo fundirá as cidades a ponto de transformar inevitavelmente a paisagem natural que desaparecerá de nossas vistas. Esse é um sinal perigoso sobre o qual devemos estar atentos. Nesse sentido, "não-urbanização" tem um significado positivo mantendo a unidade dessas duas paisagens. Em outras palavras, a construção das metrópoles modernas devem ser revistas por enfraquecer a paisagem dura da selva de pedra. Isso é necessário para chegar ao acordo de uma busca da ecologia urbana por um lado e as demandas visuais das pessoas e o apelo emocional. Enquanto isso, não-urbanização propõe que a restrição apropriada da escala da metrópole minimize o consumo e a falta de energia dispersa.

"Desurbanização" é um significado alarmante para a urbanização de hoje e a construção da metrópole.na China. É uma sugestão revisionista contra a superficialidade, desperdício de recursos e padrão cultural estereotipado. Lições foram aprendidas pelos chineses no movimento do "Grande Salto" de 1957, quando o slogan pouco prático "alcançar o Reino Unido e os EUA" em 15 anos foi posto adiante e o movimento acabou na perda de um grande desastre econômico. A mesma tendência perigosa tem sido vista no movimento de urbanização de hoje, do qual devemos ser alertados.

Analisando o processo de urbanização, podemos achar que a quantidade e qualidade da população são temas cruciais além da expansão de infra-estrutura e escala urbanas. Muitas cidades são terreno fértil para talentos, e o ambiente humano e o mecanismo de seleção de talentos são atrativos para todas as pessoas talentosas. Com o aumento dos imigrantes internacionais na cidade, uma grande quantidade de mão de obra barata e uma variedade de talentos dirigem o fluxo econômico e o desenvolvimento urbano. Porém, devido às diferenças culturais, raciais, religiosas e éticas, os valores existentes e padrão ético da cidade estão sujeitos ao impacto, que causaaumento no ódio racial, conflitos religiosos e taxas de crime. Esse é o problema urbano que desafia a China. Milhões de pessoas que vivem no ambiente rural que correm para a cidade têm educação fraca, conhecimentos técnicos baixos, sentido de cidadania inferior e falta de consciência sobre legalidade. O impacto desses fatores não pode ser negligenciado para a cultura metropolitana. Sabemos que a imigração é necessária para a produção durante o processo de urbanização, enquanto imigração de massa é um fator contraditório que desconstrói a cultura metropolitana com uma abordagem "não-metropolitana".

Métodos tradicionais e contemporâneos de criação de cidade na China

Na história, o ser humano experimentou três grandes evoluções no ambiente de moradia de comunidades compactas.

A primeira evolução foi a revolução da caça e pesca para a agricultura, quando o homem deixou os abrigos naturais das cavernas para viver em tribos de abrigos semi-permanentes construídos por ele próprio e mais tarde estabilizando-se em vilas comunitárias permanentes. Essa evolução durou cerca de 5000 anos, simbolizando o fim da Era da Pedra e começo da Nova Era da Pedra;

A Segunda evolução é simbolizada pela emergência da cidade, quando as vilas espalhadas se desenvolveram na altamente concentrada e organizada economia urbana. Esse período durou 1500 anos. A monarquia e a teocracia colaboraram para o nascimento da cidade em aproximadamente 3500 a.C.;

A terceira evolução aconteceu com a revolução industrial e persiste até hoje. Esse é uma constatação mundial da urbanização.

História chinesa de desenvolvimento da cidade: o modelo de formação de cidade nos tempos antigos

A cidade antiga chinesa é marcada por seu muro e fosso, que começou há 5000 anos. Nas dinastias passadas, aproximadamente mil cidades foram construídas. Além disso, ao menos 3000 cidades no distrito foram construídas na Dinastia *Ming* e na Dinastia *Qing*. No total, 4000-5000 cidades e centros urbanos foram construídos na história da China. Não obstante sua quantidade, essas cidades possuem planejamento sofisticado, técnicas de projeto que são importantes na instrução para os planos urbanísticos atuais, especialmente a ideologia militar de defesa e preparação de combate.

As cidades antigas surgiram e se desenvolveram para a moradia de pessoas em comunidades compactas. De acordo com o descobrimento arqueológico, uma das primeiras construções e que foi melhor preservada é o local da cidade antiga de *Tenghualuo* da pré-histórica cultura *Longshan*, que pode ser considerada como a origem da cidade chinesa. Desde então, nenhuma outra relíquia de cidades antigas foi encontrada, por um longo período, desde a época da cidade de *Tenghualuo* até a Dinastia *Xia*, Dinastia *Shang*, Dinastia *Zhou*. Isso demonstra que a construção de cidades desde as dinastias de *Shang* e *Zhou* entraram em um novo estágio.

Da Dinastia de *Qing* e *Han* até as dinastias do Sul-Norte, foi o período inicial da sociedade feudalista, e muitas cidades foram construídas baseadas no plano imperial de cidade no livro *Kao Gong JI* (Guia de Engenharia Arquitetônica). No período posterior da Dinastia *Sui*, Dinastia *Tang*,

Dinastia *Norte Song*, a construção de cidades era também baseada no anteprojeto de *Kao Gong JI* para planejamento geral, e com algumas inovações quando necessário.

Observando a cidade de *Chang'an* da Dinastia de Tang (hoje Xi'an) ela foi, na época, a maior cidade do mundo ocupando um enorme trecho de terra com grande população. A cidade foi dividida nas unidades de *"Li"* e *"Fang"* bem organizadas. Por segurança e propósito de defesa, cada *"Fang"* (ou bloco) foi fechado por muros, e o portão era aberto pela manhã e fechava-se à noite, e as pessoas não podiam entrar ou sair a qualquer momento. Templos, altares e instalações do governo (*yamun*) eram construídos dentro da cidade. As ruas eram largas, mesmo sendo o tráfego e os pedestres poucos, e foram implementadas para a hora de recolher.

Desde a cidade de *Dong Jing* na Dinastia de Norte *Song* (hoje *Kaifeng*), uma grande quantidade de lojas, restaurantes e armazenagem surgiram, e as ruas eram movimentadas, não mais fechadas como antes. A influência desse tipo de modelo de cidade atravessou anos até a Dinastia *Yuan*, Dinastia *Ming* e Dinastia *Qing*.

Nas dinastias de *Yuan*, *Ming* e *Qing*, a disposição da cidade de Pequim era de ruas cruzadas e ruas estreitas. Nas ruas havia lojas com charrete de cavalos passando. A estreitas ruas orientadas para leste-oeste acomodavam os residentes em casas confortáveis e aconchegantes. Esse padrão foi diretamente influenciado pelo princípio de planejamento da cidade de *Dong Jing* na Dinastia Norte *Song*. Entretanto acredita-se que *Dong Jing* marcou época na história do desenvolvimento das cidades chinesas.

A história da criação da cidade deixou grande experiência militar, de planejamento, de locação e arquitetura para posteridade e formou a esplêndida cultura das cidades chinesas assim como as cerimônias de casamento e funeral, os costumes folclóricos bem definidos e as atividades religiosas, assim como muitas outras representações de leis naturais.

A relação dialética entre a urbanização contemporânea e a desurbanização na China

A urbanização é uma das mais significativas transformações na estrutura social durante a modernização da China. A transformação da estrutura cidade-campo é a transformação mais essencial na estrutura social de um país orientado pela agricultura com grande proporção de população rural e indústria artesanal, dando espaço a um país industrializado com setores e população não rurais, tendo como suporte a moderna agricultura e economia orientada ao serviço. A grande carga de economia natural e semi-natural foi substituída pelo mercado econômico. No desenvolvimento da tecnologia, educação e cultura, a grande quantidade de iletrados e semi-iletrados foi substituída pela modesta prosperidade de toda nação. A desbalanceada economia inter-regional e o desenvolvimento cultural são sincronizados pelo desenvolvimento regional em sucessão. Durante esse período histórico, a campanha por industrialização da China, socialização da economia, orientação do mercado e modernização praticamente acontecem em todas as cidades. A cidade é o produtor do desenvolvimento sócio-econômico, enquanto a urbanização é o produtor da indústria moderna e das inovações tecnológicas. Olhando rapidamente para os 5000 anos de história de criação e desenvolvimento da cidade tradicional, havia a separação do dentro e do fora pelos muros da cidade, sua maior instalação defensiva. Fora da cidade estavam os campos e florestas. Para a construção das metrópoles de hoje, porém, a cidade deve ser aberta e não fechada. A experiência de observar a urbanização desse ponto de vista não passa da exploração analítica da "não-urbanização de cidades tradicionais", e a fusão da cidade e da zona rural e penetração mútua do meio ambiente criado pelo homem e do meio ambiente natural.

A antipatia à urbanização é também vista em algumas regiões desenvolvidas no sul da China através da "não urbanização". Uma demonstração disso é a politica de licença para residências rurais que foi substituída por licenças na cidade, e o que costumava ser mais atrativo é agora recebido de maneira fria. Alguns camponeses preferem ser camponeses lidando com produtos agrícolas, do que serem simplesmente naturalizados como um não-cidadão, cuidando do que não lhes é familiar. Quanto mais as pessoas saíram do campo para a cidade, mais difícil se tornou a condição de oportunidades de trabalho, e assim as pessoas da zona rural começaram a reconhecer o valor da terra. Alguns deles preferiram ficar na zona rural no cultivo do que seguir o fluxo para a cidade.

Importância superficial da urbanização contemporânea na China

A China está agora na rápida trajetória da urbanização, um movimento crucial na estratégia da China no desenvolvimento da economia nacional e cultural. Os órgãos administrativos em todos os níveis estão fazendo todo esforço possível para promover a implementação das diretrizes estratégicas. Podemos sentir a tendência de construção nas torres de guindastes aqui e ali espalhados pelo país. A China, porém, está no estágio primitivo de urbanização, nos órgãos governamentais de vários níveis falta experiência no gerenciamento urbano, e a urbanização é apenas um simples crescimento de quantidade, e falta também uma alma internacional. Não importa se você está em *Haidian*, *Chaoyang*, *Daxing* ou qualquer outro distrito de Pequim, você verá que todos os edifícios foram construídos sob as mesmas diretrizes ou conceitos, e você terá dificuldade de dizer onde está. Alguns condados remotos ou distritos de Pequim, assim como *Miyun*, *Huairou* e *Lianxiang*, estão seguindo processo de perseguir o aumento e alargamento de estradas, iluminação da paisagem noturna e a grandiosidade de edifícios individuais. Esse conceito de construção urbana lida com a perda severa de recursos e não beneficia a construção da cultura urbana. Há mais exemplos de fracassos do que de sucessos. O investimento intensivo e excessivo na maquinaria da cidade pode deixar um fardo pesado para posterior desenvolvimento da cidade em um longo período. O mal-entendido na urbanização da China pode ser descrito nos seguintes aspectos:

1. Escala irrestrita de expansão da cidade

Refere-se ao fenômeno de alguns governos locais ignorando as condições locais de geografia, nível administrativo e recursos, e começaram a se comparar com cidades maiores de maneira inverossímil, no que diz respeito à estrutura urbana e escala unitária de áreas funcionais e principais edifícios. Por exemplo, o Distrito Central de Negócios (CBD – *Central Business District*) é um novo conceito para as cidades da China. O CBD, como uma integração de empresas e recursos, possui importante participação no desenvolvimento urbano econômico. Essa macro-disposição, porém, é apenas aplicável à grande cidades, com recursos comerciais bem desenvolvidos. Foi apontado por alguns especialistas que na China o CBD é apenas adequado para Pequim e Xangai. O CBD, contudo, foi considerado como ideal e símbolo da urbanização. Por várias razões como departamentalismos oficiais egoístas, exagero político, desenvolvimento estatal de propaganda, entre outros, os CBDs estão sendo construídos em cidades capitais de províncias e até em condados que estão sofrendo com a pobreza. Essa é uma perigosa tendência de investimento cego e fenômeno de comparação. Pelo aprofundamento da análise sobre sua razão, descobrimos que as raízes do problema são o culto nacional à cultura metropolitana e a diferença excessiva entre a cidade e a zona rural.

2. Urbanização da zona rural

A zona rural é a reserva de terra para o desenvolvimento urbano. A urbanização do campo é um importante passo da urbanização, e uma estratégia para melhorar a qualidade dos cidadãos nacionais. A urbanização da zona rural, porém, acontece como uma troca, e raramente de forma auto-consciente e auto-motivada. Isto é, os fazendeiros trocam sua melhor terra por capital que eles precisam para seu próprio desenvolvimento. Porém, a área urbana construída em locais de vila não proporciona muita oportunidade de sobrevivência e desenvolvimento para seus moradores, o que passa de geração a geração. Nesse sentido, os objetos são urbanizados, mas as pessoas não. Essa é sem dúvida uma contradição da estratégia de desenvolvimento holístico do estado. Parece ser dinâmica, mas está repleta de crises.

3. Utilidades urbanas. Importância da compreensão e tomada dos conceitos de "urbanização" e "desurbanização" para construção da metrópole moderna da China

O próspero desenvolvimento da área urbana criará motores energéticos e de alta eficiência para desenvolver e acelerar o progresso da modernização. Compreender a área central das cidades significa compreender o nervo central,o coração do poder estatal. Se as cidades alcançarem sucesso, a nação inteira o alcançará. A China deve dar ênfase para sua campanha na construção e desenvolvimento da modernização das cidades para se tornar um estado poderoso e modernizado. Isso foi provado pelo fato de que nas duas décadas passadas o governo chinês aumentou o investimento nas cidades centrais e cidades litorâneas, e desse modo nasceram metrópoles internacionais como Pequim, Xangai e Shenzhen com boa competitividade nos círculos econômicos e culturais do mundo.

Desenvolvimento sincronizado da civilização material e espiritual

A cidade é o centro político, econômico, tecnológico, educacional e cultural de uma região. Graças a sua escala, a cidade lidera o desenvolvimento sócio-econômico regional com base na moderna produção de *commodities*, na circulação comercial e centro de consumo, centro financeiro, tecnológico, educacional e de informação. Nessas funções inclui-se a organização e gerenciamento das atividades econômicas. A posição central da cidade deve ser harmoniosa com suas funções administrativas. A cidade foi, é e será o centro de um estado ou uma região. A sobreposição e integração de suas funções políticas e econômicas fez da cidade o centro de tecnologia e educação e conseqüentemente o foco para a civilização espiritual. Isto é, a cidade é o símbolo da civilização.

De acordo com estudos de geografia urbana e com a configuração da produtividade, a escolha do planejamento urbano deve ser benéfica para uma disposição razoável de residências e escala suficiente de produtividade. A antropologia cultural realça que a função da cidade é manter, integrar e transferir a cultura humana e criar uma nova cultura, uma vez que a demografia demonstra que a cidade não é apenas benéfica pelo seu fluxo razoável de pessoas, mas também por aumentar a qualidade de vida dos indivíduos.

Progresso da paisagem urbana: grandes mudanças na paisagem urbana da China

Confrontada pelo impacto da cultura ocidental, grandes mudanças têm acontecido na construção urbana da China em termos de paisagem cultural e cultura arquitetônica. Construtores estão atentos a procurar o estilo de construção individualizada no planejamento e no design. No entanto, aparece uma tendência de ter excessos em certos aspectos da construção urbana dada a insuficiente ênfase nos conteúdos culturais da construção urbana e cultura paisagística.

– estilo arquitetônico clássico, é tomada a atitude de fechar a porta e retornar ao antigo; quando procuram o estilo ocidental, os edifícios e decorações não passam de imitações cruas com modelos estereotipados. Inclusive as construções de telhado tradicional curvado são vistas em alguns lugares, ou edifícios com cortinas de vidro aparecem violentamente com a monotonia de mobiliários externos. Como foi criticado pelo artigo "Construções Inescrupulosas e Fanáticas Fazem de Pequim uma Cidade sem Características", já não resta nada do charme da Pequim do século passado.

– Monotonia e baixa qualidade da cidade no colorido em geral e no colorido da paisagem da rua. As cores mais comuns da cidade são escuras, faltando nelas individualidade. "Ir conforme a corrente" representa a mais comum psicologia chinesa, e com um vago desacordo com outros pode contrair um pesado fardo psicológico. A monotonia do colorido da cidade é um bom exemplo. Há anos atrás, a cor principal era o cinza, e toda rua era cinza e obscura. Nos anos mais recentes o colorido da cidade mudou de certa maneira, mas chegou ao extremo do vulgar marcante e da falta de coerência.

– Perda do "telhado cultural" da cidade. Com o aumento de edifícios multifuncionais e de grande altura, o ângulo visual das pessoas mudou. As pessoas têm mais chances de ter vistas aéreas dos altos locais pitorescos nas montanhas ao redor da cidade ou do alto de edifícios. Infelizmente, no que diz respeito à paisagem urbana, a maioria dos telhados nas cidades chinesas são "telhados de lixo". A caixa d'água depositada no telhado é meramente funcional sem significado estético. Graças ao desenvolvimento da cultura do turismo, podemos prestar mais atenção ao valor estético dos telhados considerando as mudanças no cenário arquitetônico e no modo de vida das pessoas.

– Novo tipo de economia urbana e "elementos de recursos" culturais de pobre criatividade e individualidade. Os modernos locais turísticos criados pelo homem são outros importantes locais na construção e planejamento da cidade contemporânea.

Entre muitos outros problemas, estamos sendo confrontados por questões urbanas de construção de parques e grandes praças nas cidades. Parece que estas praças devem ser o quanto maiores e melhores, e os edifícios quanto maiores, melhores. Considerando prudentemente a enorme população chinesa e os restritos recursos do país, as cidades chinesas não podem e não devem construir grandes praças.

Assim como as pessoas, a cidade tem sua imagem distinta de sua origem. Porém não era desse modo até a revolução industrial onde as pessoas começaram a projetar, organizar e posicionar a imagem da comunidade em que viviam de um modo razoavelmente consciente e em grupos.

A industrialização criou um ambiente unitário, sujo e desarmonioso substituindo a natureza por maquinaria, e substituindo a humanidade por substâncias. O estrago da cidade e a sujeira do meio ambiente põem em xeque o "naturalismo" ambiental. Nesse clima muitos pátios com estilo de parque e muitas cidades com estilo de parque surgiram, onde as pessoas podem desfrutar de um elegante cenário urbano. Apesar da estética arquitetônica, a arte do design urbano e o conceito de paisagismo urbano germinou nos países de industrialização pioneira no último século.

A imagem da cidade é a harmoniosa integridade de individualidade histórica de cada cidade e modernização e internacionalização. A imagem demonstra cada glória histórica da cidade e a orientação de ocupação e desenvolvimento no futuro. Internamente, a imagem da cidade pode estimular a moral popular e inspirar o senso de "volta ao lar" nos membros da comunidade, honra e responsabilidade, enquanto externamente representa a marca do gerenciamento da cidade moderna. Criando uma boa imagem, a cidade pode ganhar uma boa reputação e posição no país e no mundo e ganhar benefícios sociais e econômicos.

Condição natural e condição artificial da cidade: da oposição à unidade

"A cidade se tornou um enorme espaço construído", como foi concluído por cidadãos recentemente. Essa afirmativa mostra que o processo de urbanização foi acelerado e a face da cidade muda a cada dia que passa. Enquanto isso, os moradores urbanos não podem mais evitá-lo, porém aceitar o fato de que a qualidade de vida e do ambiente está piorando. Nos tempos modernos, as pessoas dependiam excessivamente da tecnologia na criação do meio ambiente urbano. Pela massiva aplicação de ar condicionado, veículos e materiais sintéticos nas construções, as pessoas criaram um sistema ambiental feito pelo homem que é isolado e oposto à natureza. Porém esse isolamento satisfaz desejos físicos do homem com o custo de grande perda de recursos e desgaste ambiental.

Ao final do século passado, conceitos de cidade-jardim e até de cidades aquáticas, foram propostos, nos quais está na natureza o novo método de projetar e planejar para rever a condição da cidade criada pelo homem para um *status* de não urbanizada e não artificial, ou restaurar o *status* natural. Isso para obter suprimento auto-suficiente de energia para estender ao máximo a duração da criação da enorme riqueza social. Nesse sentido, a mais poderosa arma para realizar este sonho de melhorar a ecologia urbana é aumentar a capacidade da cidade em criar forças produtivas desenvolvendo tecnologias como a engenharia biológica, horticultura, termodinâmicas, etc.

Com sorte, vemos que muitas cidades na China, incluindo Pequim, estão fazendo grandes tentativas para tornar esse sonho possível. Tem sido dada muita atenção para formas artísticas como também para a integração das artes, ciências que tornam as coisas mais naturais e vívidas.

Enquanto isso, o círculo acadêmico propõe e recomenda uma nova opinião na estética urbana que é popularizada para as massas. Além do mais, para louvar a grandiosa criatividade humana, essa nova opinião marca a restauração de propriedades naturais do homem e a abertura do novo ambiente artificial. Essa é a nova estética baseada no novo valor e na nova epistemologia. Superficialmente, essa opinião reflete a evolução da urbanização em direção a uma não-urbanização, enquanto substancialmente é a demonstração da urbanização no seu mais alto grau.

[Debate 02, Fundação Bienal, 16 de setembro de 2003. Debatedores: Alex de Rijke e Maria Cristina da Silva Leme]

Urbanismo e transdisciplinariedade: articulação do formal e do informal na América Latina

Jorge Mario Jáuregui

... a cidade se define pelos seus contrastes; quer sempre explodir, não suporta regras estéreis...
uma cidade inesquecível é um acervo imenso de imagens
Wim Wenders

No continente latino-americano vem se manifestando nos últimos vinte anos um fenômeno provocado por um processo que tem dois componentes principais: de um lado a confluência de uma crescente interconexão e dependência dos movimentos de capitais (globalização financeira); do outro, a substituição de tecnologias, produto da passagem do paradigma mecânico para o eletrônico, que afeta tanto a área de gestão e administração quanto os próprios processos produtivos. Isto tem suas claras conseqüências urbanas. Contribui tanto para a dispersão geográfica das atividades econômicas através da interconexão que essas atividades provocam, quanto para uma renovação e ampliação das funções centrais urbanas. Simultaneamente determina um agravamento da exclusão social de grandes setores da população, com a sua seqüela de marginalização, violência e desestruturação de pautas de convivência. Isto se manifesta na produção de uma cidade dividida entre os denominados setor "formal" – bairros – e o setor "informal" – favelas e extensas periferias sem qualidade.

Este processo de integração crescente em nível mundial, caracterizado pela formação de uma rede global de mega-cidades interconectadas e espalhadas por toda a superfície do planeta, que determina uma nova topografia, estabelece também uma nova condição de centralidade. Isto vale tanto no plano macro (continental), quanto no plano local (no interior de cada estrutura urbana). Nas duas escalas o que se percebe é a formação de novas geografias de centralidade; num caso, uma rede metropolitana de nós, no outro, uma configuração rizomática da cidade. Rizoma entendido como um tipo de estruturação que não implica em uma relação sintética entre os elementos, que recusa a noção de ordem hierárquica, que possui a qualidade do *patchwork* – uma heterogeneidade radical.

O paradoxo atual em evidência no plano do urbano é que, enquanto a telemática maximiza o potencial de dispersão geográfica, o processo de globalização econômica impõe uma lógica que requer lugares estratégicos dotados de enormes concentrações de infra-estrutura, de mão de obra e de edificações específicas. Mas a combinação de novas capacidades organizacionais, novas tecnologias e novos setores de crescimento provocam, nos países da América Latina, tanto novas centralidades quanto um igualmente enorme incremento da marginalização. A variedade de processos em curso está relacionada à "re-territorialização" de pessoas, práticas econômicas e culturais, e tem seu sintoma urbano no aumento do mencionado "setor informal", isto é, na ocupação de terras públicas ou em litígio, e das calçadas, praças e espaços residuais, por todo tipo de "clandestinos".

Isto cria a demanda, desde o ponto de vista das intervenções nas grandes cidades latino-americanas, de organismos altamente complexos onde se interceptam lógicas da mais variada índole, de um conceito de planejamento do desenvolvimento estreitamente vinculado ao desenho urbano, capaz de articular, desde o próprio momento da sua formulação, as questões físicas (urbanísticas, infra-estruturais e as referidas ao paisagístico-ambiental), as sociais (culturais, econômicas e existenciais), as ecológicas (nas suas três dimensões: ecologia social, mental e do meio ambiente) e as referidas à segurança do cidadão.

A questão urbana, neste contexto, se inscreve no marco da formulação de políticas urbanísticas que devem ter como um dos seus componentes fundamentais, o combate à exclusão e a melhoria da qualidade de vida da população, o que exige a consideração da estrutura urbana como um todo, isto é, o problema das conectividades entre as suas partes "formais" e "informais".

Vista aérea da Favela dos Macacos, com unidades habitacionais de interesse social, Rio de Janeiro. Arquiteto Jorge Mario Jáuregui

Nas cidades latino-americanas, o percentual da "cidade informal" em alguns casos é maior que o da cidade formal (como em Caracas, onde a relação é de 60% de cidade informal para 40% de cidade formal), mas na maioria delas o percentual é alto, variando entre 30 e 50% nos dois maiores países do subcontinente, México e Brasil. Em Buenos Aires é da ordem do 5%.

Um componente importante das políticas públicas em relação à questão urbana, nas quais deve-se enquadrar o Planejamento Estratégico articulado com o Desenho Urbano, é o que se refere à contribuição que elas podem representar para a ativação da participação dos cidadãos, fato que exige a busca de integração, em primeiro lugar, com programas que promovam iniciativas capazes de gerar emprego e renda. Como já são conhecidas, as políticas de urbanização são um dos meios mais diretos e eficazes para consegui-lo.

Neste contexto, os projetos de escala urbana devem poder funcionar como um modulador do intercâmbio entre cada setor específico e a cidade como um todo, pondo em evidência a importância das relações entre os lugares e os usos estabelecidos.

Nas atuais condições simultâneas de interconexão planetária, urbanização descontrolada e exclusão social, as ações urbanas não podem renunciar à busca de projetar algum sentido, de especular a respeito de ordens e esquemas potenciais, de imaginar formas de direcionamento olhando a cidade contemporânea como um processo cuja ordem, complexa, sempre em mutação, demanda novos dispositivos, conceituais e instrumentais, para poder operar.

O desafio consiste em ter a capacidade de compor espaços de fluxos determinados pela inclusão nas redes mundiais, com a consolidação de centralidades existentes manifestas ou latentes (a cidade dos lugares), visando melhorar o desempenho da estrutura urbana no seu conjunto. Isto implica a busca de níveis de coerência diferenciados, singularizados mediante o manejo das intensidades através das conexões a serem realizadas.

O que é característico deste meio condutor que são as mega-cidades, é a grande dinâmica do fenômeno urbano no novo marco do capitalismo, onde cada ponto do território se determina por uma superposição de lógicas cuja aparência é a da aleatoriedade, mas às quais é necessário desvendar-lhes sua forma de incidência em cada caso.

Para poder operar neste meio, o que se demanda é a capacidade de leitura da estrutura de cada lugar específico, onde o que é relevante, mais do que as questões de escala e medida são o tipo de relações que os diferentes setores mantém entre si, bem como suas condições de centralidade, que serão necessariamente alteradas pelas intervenções. Nesta leitura é especialmente relevante a análise das condições de borda e de fronteira entre os diferentes setores urbanos reconhecíveis e entre as diferentes partes de cada setor; as distintas localizações e linhas de força, os padrões que organizam certas zonas com maior intensidade do que outras, as transições do espaço público ao privado, as passagens de espaços abertos públicos a espaços fechados semipúblicos, etc.

Uma visão aérea de Rio de Janeiro, Buenos Aires, Caracas, São Paulo ou Cidade do México e suas áreas conexas, mostra-nos uma grande mancha, um tecido que se desintegra gradualmente, se decompõe e se espalha sem fim, salvo naqueles excepcionais lugares que são as bordas de rios, lagoas, florestas, ou a linha do mar. Os viadutos neste cenário são os rios artificiais dos quais falava Louis Kahn, e como tais, unem e separam, gerando novos equipamentos, descolados do resto enquanto os antigos centros locais se deterioram ou se renovam, segundo os casos, e surgem vazios internos por paralisação de atividades devido ao aparecimento de novas lógicas tecno-produtivas e às modificações nas condições de acessibilidade, que é necessário redefinir.

Nestas grandes cidades trata-se de reestruturar e consolidar malhas, realizar novas conexões, dar caráter às perturbações, fortalecer lugares com identidade, reforçar e/ou criar novas centralidades, incorporar os investimentos já realizados e dotar as periferias de equipamentos de prestígio, levando em conta que a imbricação das infra-estruturas circulatórias e de comunicação, do tecido urbano e dos usos estabelecidos, só pode ser considerada desde uma perspectiva multidisciplinar.

A questão é como, atuando desde uma equilibrada consideração da relação custo-benefício, pode ser gerado a partir da imbricação Planejamento Estratégico e Desenho Urbano, um espaço de qualidade que não anule a inscrição das comunidades territoriais, e apontar as ações na direção da conectividade geral da estrutura da cidade.

Hoje podemos verificar tanto uma tendência na direção da exacerbação dos conflitos, quanto – e ao mesmo tempo – uma "inevitabilidade da coexistência" neste "mar de signos" que são as mega-cidades, de três tipos de espaços urbanos diferenciados, descritos a seguir.

Espaços gerados por processos de acumulação e substituição tradicionais, onde podem se identificar algumas peças arquitetônicas sobre um fundo anônimo, chegando a constituir centralidades (quando atingem uma certa massa crítica) através do adensamento e sobreposição de funções e modos de vida. Nestes tipos de espaços, a imagem urbana é o resultado da ação de uma comunidade interagindo num determinado território ao longo de um período de tempo, segundo critérios e normas que estão permanentemente sendo adaptados e renegociados. Estes setores urbanos, identificados como "bairros", apresentam características que os definem ainda como a imagem "visualizável", registrável, e que pode ser "retida" da cidade.

Espaços que escapam ao controle do poder público (ou onde este é muito frágil) e que ocupam grandes extensões da superfície dos municípios, constituindo "áreas de impunidade", com suas próprias "leis" e "códigos". Em alguns casos, a atuação nestes contextos pode demandar a utilização de uma "metodologia de guerra", ou de "planejamento contra desastres". Nestes espaços sem qualidade, o papel do desenho urbano na determinação de uma nova imagem é fundamental, tanto para contribuir à re-significação geral do sistema urbano, quanto para a melhoria da qualidade de vida dos que se vêem obrigados a viver ali por falta de alternativas. O desenho urbano nestas circunstâncias tem por finalidade instaurar a dimensão do espaço público como âmbito de qualidade. Neste sentido, urbanizar as periferias significa forçar o caos buscando inscrever pontos de singularização com capacidade de produzir efeitos sobre o conjunto da estrutura urbana. Estes setores da malha urbana, em muitos casos sem "registro" nos mapas cadastrais "oficiais", constituem a imagem *noir* da sociedade, aquilo do qual não se quer saber; não-lugares, intervalos, tempos a "sofrer" nos deslocamentos através da cidade. Mas, simultaneamente, são espaços para o novo, para novas possibilidades de "cidade", buracos para a criatividade, para a inovação urbanística e a experimentação social. Lugares onde se imbrica o que está "em processo", em devir, em experimentação permanente, com a riqueza de relações sociais e grande permeabilidade do comunitário e do individual, que fornecem a base, o material a ser trabalhado visando sua integração à cidade e a conformação de uma nova imagem urbana.

Espaços ligados a projetos "de autor", demandados pelo poder de grandes corporações (nacionais ou multinacionais, públicas ou privadas), geralmente derivados de programas "temáticos" tais como parques de entretenimento, exposições internacionais, reciclagem de áreas portuárias, centros históricos, bairros "típicos", etc. Eles ocupam pontos estratégicos do território e estão desconectados (voluntariamente ou não) da estrutura urbana, constituindo, em geral, "ilhas da fantasia" no arquipélago da cidade. Neste tipo de espaços, as imagens tendem a tornar-se verdadeiramente *commodities*, relacionado com o que Rem Koolhaas tem denominado "espaço lixo".

Estes três tipos de espaços tendem a permanecer desarticulados entre si, mantendo apenas as relações de contigüidade; não fazem "trama urbana", não "constroem cidade".

Objetivos dos projetos de estruturação urbana desenvolvidos no Rio de Janeiro e Buenos Aires

Democratizar o desfrute da "urbanidade" para todos os cidadãos; combater a cidade dividida, o "déficit de cidade", especialmente nos nichos de pobreza, mas não só neles; favorecer a conectividade da estrutura urbana como um todo; não retirar ninguém do seu lugar, evitando cortar os laços existentes; respeitar a história da constituição de cada lugar específico e os investimentos feitos por cada habitante com seu esforço próprio.

A partir disto, articular os aspectos físicos, os culturais, os ecológicos e as questões de segurança garantindo uma nova condição de cidadania para a população, tendente a fazer desaparecer a oposição forma-informal, mediante a articulação das diferenças.

Para isso é necessária simultaneamente em duas perspectivas, uma estratégica (da ordem da longa duração) e outra tática (definição do plano de intervenção, derivado do anterior).

Os trabalhos compreendem dois aspectos principais:

– Elaboração do esquema de leitura da estrutura do lugar. Esta leitura parte do reconhecimento do território

tanto nas suas condicionantes quanto nas suas potencialidades, através de um diálogo permanente com os habitantes do lugar, ao mesmo tempo em que busca interlocutores no entorno da área de atuação. É uma leitura multidimensional que registra o nível de articulação interna e as demandas dos habitantes; as centralidades latentes e manifestas; as conexões com o entorno; as condições de acessibilidade; o processo de configuração histórica; os equipamentos e serviços públicos disponíveis; os vazios internos e no entorno, e interesse projetual; o grau de organização da comunidade; as características e o potencial paisagístico-ambiental.

– *Formulação da Proposta Urbanística*. Estabelece a base de coerência que articula o físico com o social e o ecológico, atentos à viabilidade da proposta (relação custo benefício), indica as ações jurídicas a serem previstas, a reformulação do sistema de vias de circulação, as relocações necessárias e a redução da área de ocupação e o controle da expansão. Articula também o intramunicipal com o estadual e o federal; reforça as centralidades existentes e cria outras novas; assinala os acordos a serem buscados como complementos às intervenções propostas.

**[Debate 03, Fundação Bienal, 16 de setembro de 2003.
Debatedores: Affonso Risi Jr. e Renato Anelli]**

Unidades habitacionais de interesse social, Favela dos Macacos, Rio de Janeiro. Arquiteto Jorge Mario Jáuregui

Pierre Bonnet

Introdução

Minha contribuição sobre o tema da cidade contemporânea no quadro da Bienal 2003 de São Paulo é uma oportunidade de lhes apresentar uma experiência urbana particular que se deu na Suíça, na cidade de Genebra.

Muitos países como o Brasil devem enfrentar a problemática das megalópoles, as cidades gigantescas que se desenvolvem muito rapidamente. A Suíça é um pequeno país, no qual uma grande parte é ocupada por montanhas. Dessa forma, as cidades estão na proporção de seu território, ou seja, são muito pequenas. A interação entre as cidades é restrita e podemos citar como exemplo um fato que pode parecer absurdo para os habitantes de grandes metrópoles: Lausanne e Genebra, a 60 km de distância, são dotadas cada uma de um hospital universitário equipados de maneira similar.

Apesar da dificuldade – cultural, lingüística e política – de ver o território de maneira mais ampla, correntes de reflexão se apresentam para sonhar a Suíça de outra forma. Peguei de empréstimo o ponto de vista do historiador, teórico e crítico suíço André Corboz, que vê as principais cidades suíças, Bâle, Zurique e mesmo Lausanne e Genebra como uma "nebulosa urbana". Essa metáfora estelar frustra um enfoque sobre o centro, pois cada cidade se estende progressivamente ao encontro de outras cidades, para formar uma espécie de "hipercidade".

Para passar dessa visão um tanto vaga de desenvolvimento urbano para o tema que nos interessa, eu lhes proponho um zoom sobre Genebra, no meio de dois bairros próximos da estação. Encontramos assim a cobertura, de aproximadamente 800 metros, de um trecho de via férrea que separava há 150 anos dois bairros residenciais, hoje em área muito central com o crescimento da cidade.

Problemática urbana

Essa operação, iniciada no fim dos anos 80, se inscreve no movimento da construção da cidade dentro da própria cidade, em oposição à urbanização difusa fora da área urbanizada que aconteceu de 1945 até o fim dos anos 70. Assim, para entender as possibilidades de extensão no seio da cidade, se transformará uma fronteira desenhada pelo trem num lugar a ser apropriado pelos habitantes. Não se trata na verdade de uma operação especulativa, pois, devido a uma vontade popular dos habitantes, os poderes públicos instauraram uma operação de valorização desses bairros residenciais.

A cobertura das vias de caminho de ferro é então tema de duas abordagens próprias desse lugar:

– Suprimir os distúrbios sonoros resultantes da passagem dos trens;

– Religar, por um espaço público, dois bairros até então separados por um trecho intransponível – os bairros de St. Jean e de Charmilles, formados por uma população de aproximadamente 5.000 habitantes.

A partir de meados do século XIX, a evolução do bairro seguiu o traçado da via férrea. Seu desenvolvimento foi realizado por sucessivas operações, de natureza muito diversa e segundo as épocas: quadras, casas isoladas, lâminas, etc.

Durante um longo período, a presença do trem não foi sentida como incômoda e os acessos são tratados como passeio urbano ao longo da via. Contudo, no fim dos anos 80, essa paisagem ferroviária foi subitamente sentida como incômoda, um obstáculo entre dois bairros e sobretudo como geradora de um som importuno. Efetivamente, a passagem dos trens se intensifica consideravelmente nesse trecho, devido ao desvio do terminal da estação do centro para o aeroporto de Genebra.

Antes de ser pensado como estratégia de uso do bairro, a cobertura da via ficou ao encargo dos engenheiros civis que conceberam uma obra com um comprimento de 825 metros por uma largura de 25 metros, cruzando quatro pontes.

Essa obra pode receber construções de três níveis no máximo. A superfície acrescentada pela terraplenagem dos taludes e a construção da cobertura é de aproximadamente 30.000 metros quadrados.

Variando entre 0,50 m e 1,60 m a altura em relação ao nível da rua, a obra é determinada pelo gabarito do trem, a altura estática dos pilares e a passagem dos fluidos para as construções. As limitações técnicas são muitas, pois há uma grande

Cobertura de trecho de via férrea em St-Jean, Genebra (1992-2002). Concurso, projeto premiado. Pierre Bonnet, arquiteto, em colaboração com P. Bosson e A. Voucher
Foto Pierre Bonnet

polêmica sobre os campos magnéticos e os riscos de incêndio dos vagões que transportam combustível. Nosso projeto teve que integrar dispositivos de segurança para a intervenção dos serviços de emergência em caso de acidente no túnel.

Essa obra de arte emergente do solo revela ainda vestígios das vias e gera por sua homogeneidade uma potência arquitetônica muito forte. Na época do concurso observamos, postados na cobertura da casa redonda do arquiteto de Genebra Maurice Braillard, a paisagem ampla das vias em pleno canteiro, inquietos frente à amplidão do vazio gerado pela intervenção.

Concurso de arquitetura

Ganhador juntamente com dois outros arquitetos – P. Bosson e A. Vaucher – do concurso de arquitetura organizado pela Cidade de Genebra em 1991, participei ativamente, com muitos outros profissionais, na realização integral desse projeto que durou 10 anos, sendo finalizado em 2002.

Nos ocupamos da aplicação do conceito volumétrico nascido do concurso, da definição da linguagem arquitetônica global para os edifícios, do desenho e da realização do espaço público compreendendo o desenho do mobiliário e dos jardins. Nas regras fixadas pelo plano diretor, com exceção do mercado coberto e do centro de convivência do bairro concebidos por nosso escritório, os outros edifícios – a biblioteca e os ateliês – foram realizados por outros arquitetos, o que acabou onerando os custos.

Sobre a base morfológica da obra, o concurso de arquitetura foi lançado com o intuito de desenhar o espaço criado sobre esse trecho.

O projeto escolhido repousa sobre o reconhecimento da obra que forma uma laje em todo seu comprimento, e dá à intervenção uma certa autonomia lembrando em "positivo" o traçado ferroviário. Ao contrário, as outras propostas não selecionadas tentaram apagar a legibilidade da plataforma, buscando uma analogia com os edifícios vizinhos.

O programa finalmente realizado completa o número insuficiente de equipamentos desse bairro essencialmente residencial. Ele se constitui de edifícios de atividades públicas – centro de convivência do bairro, mercado coberto, biblioteca – e ateliês, nos quais os empreendedores são os profissionais privados. Uma creche e uma padaria estavam inicialmente previstas, mas não foram realizadas. A densidade das construções sobre a cobertura é pequena, liberando grande área para os espaços públicos.

Experiência urbana

Uma reflexão retroativa funde as ambições mais ou menos alcançadas na transformação de um lugar e as vias delicadas que o processo do projeto teve que atravessar.

A complexidade do problema colocado me incita a revelar a experiência do projeto sob a forma de questões: questionamento permanente como o modo de reflexão durante toda a "montagem" urbana.

Não se trata de ver esse resultado como um objeto em si, porém mais como uma paisagem urbana aberta às múltiplas e complexas relações, notadamente o encontro entre um novo programa e os bairros existentes e seus habitantes.

Na introdução desse texto, evoquei a situação frágil do arquiteto e de seus projetos na disfunção da cidade contemporânea. De fato, o desconforto e a dúvida generalizada frente a seu trabalho também podem ser considerados positivamente, como um estímulo para tornar evolutiva a sua maneira de apreender a cidade. Quando digo isso, faço uma alusão à dificuldade de compreender e de projetar um território que não pode mais ser apreendido com representações antigas (ou que não têm mais sentido hoje), em que a população não chega a ser representada provisoriamente de outra forma, a não ser dessa maneira negativa. Quando esses territórios particulares forem "qualificados" – ou seja, quando encontrarmos neles "qualidades" –, serão percebidos positivamente e apropriados.

Através de diferentes projetos, me interessei particularmente pela dinâmica do real que não exclui a imperfeição, o mal-estar ou mesmo, às vezes, o caos aparente nas situações encontradas na cidade. Essa foi minha posição durante esse trabalho, onde busquei mostrar um "outro" olhar em direção a novas práticas urbanas induzidas por esse "projeto condicionado pelo solo".

O *solo* é a primeira condição desse projeto. As realidades sobrepostas do trem e do espaço público formam uma espécie de hibrido. Através do solo, esses dois mundos estão em contato e mantém uma relação morfológica.

Que sentido dar a essa natureza artificial? Como habitar um espaço tão alongado?

A definição de uma paisagem contínua é a segunda condição: como criar intercâmbios com o bairro preservando a identidade desse novo lugar?

De um ponto de vista morfológico, eu poderia definir esse processo de projeto como uma *experiência sobre a linearidade*.

Um traço lido sobre um mapa geográfico traduz-se forçadamente numa realidade por uma "espessura interior", como a de um risco observado na lupa.

Afinal, trata-se de um espaço de fronteira, de uma linha, de uma crista ou de um lugar habitado?

Nesse caso figurativo se tratará de uma relação entre os dois bairros, que poderíamos definir como de uma *centralidade linear*.

As primeiras hipóteses durante a pesquisa de partidos seguiam de forma literal a idéia do linear. Por fim, a proposta tomou um viés diferente, mais fragmentada: uma composição constituída de objetos flutuantes numa relação de alternância aleatória, colocados sobre a plataforma emergente.

A partir da elaboração desse conceito, duas estratégias opõem-se e enriquecem-se mutuamente:

– a busca de uma continuidade espacial de volumes construídos seguindo as vias, que valoriza a fluidez do projeto, transpondo certos obstáculos como as pontes que ficaram ligadas ao traçado das ruas;

– a implantação de seqüências transversais – pelo acesso – constituindo as conexões necessárias às bordas e ritmando de modo variado os lados da plataforma elevada em relação ao nível das ruas.

Os dois desafios anunciados podem se resumir pela intenção de deixar a "linha" se estender pelos 825 metros e de gerar espaços dilatados ou comprimidos pelo jogo de volumes construídos ou verdes dispostos de forma intercalada.

Essa abordagem do espaço privilegia um intercâmbio sem hierarquia entre os dois bairros ligados, ou a percepção de uma paisagem urbana que acontece, sobrepondo escalas e identidades na profundidade da cidade: uma árvore, uma praça, um imóvel, o jato d'água, uma montanha.

Temporalidades

A gestão do tempo nesse projeto foi essencial para seu desenvolvimento.

Desde a concepção, esse desafio foi tematizado, segundo um conceito de independência e reversibilidade dos volumes: os espaços vegetais podendo ser substituídos por edifícios ou substituí-los.

Essa flexibilidade conceitual é aos meus olhos estratégica para a sobrevida do projeto. Muita rigidez frente à aleatoriedade das condições de realização poderia ser fatal para o conjunto do projeto.

Rememorando o período de estudos após o concurso, tivemos que enfrentar o desconhecimento total das condições do desenvolvimento no tempo das construções.

Para diminuir a vulnerabilidade, imaginamos muitos cenários segundo hipóteses distintas, levando em conta a situação de crise econômica do começo dos anos 90:

– nenhum dos edifícios previstos é realizado; o projeto se reduz à materialização do solo;

– somente os edifícios públicos são construídos;

– todo o conjunto se materializa, porém num período muito longo.

Finalmente nenhuma dessas hipóteses corresponderia à realidade, mas esta se inspirou com muita precisão nesses conceitos.

Há inicialmente um período transitório de aproximadamente dois anos, que deixou acessível à população a cobertura sem acabamento, com a marcação no piso dos desenhos das futuras construções, o que nos permitiu testar a escala dos espaços. Assim como a colocação dos pilares durante a noite, esse era um momento muito poético do projeto.

Finalmente, os equipamentos públicos e privados se realizam ao mesmo tempo. As exceções são os edifícios da padaria e da creche, que se transformam efetivamente em volumes de bambus gigantes, onde a organização interna do espaço anteriormente prevista para os dois programas fica marcada no solo sob a forma de jardim: os três pátios da creche se tornam três pérgulas.

Seqüência

Resultante da lógica ferroviária, nesse lugar tudo é arrebatado por uma dimensão longitudinal: no piso, o desenho inscrito na laje em concreto sobre um módulo de 4,95 m X 0,66 m é gerador do conjunto do jogo de medida do espaço projetado.

Cada seqüência dá lugar a um reagrupamento de objetos: um banco, uma luminária, um piso em madeira ou espaços plantados. A constelação desses objetos quase domésticos dá a medida das pequenas praças assim criadas, espécie de "salas urbanas".

O emprego da cor azul-acinzentado tem um papel importante na percepção dos objetos demarcando o piso e as bordas da plataforma. Essa cor recobre os pequenos objetos acessíveis ao toque, como é o caso das edículas técnicas e do mobiliário. Esses objetos, marcados pela linearidade, colaboram para uma percepção de profundidade, agindo como referências visuais e de identidade.

Nesse espaço linear, o vegetal acompanha os edifícios revestidos de madeira e a mineralidade da obra de arte emergente.

A paleta vegetal brinca sobre as inclinações das folhagens (Gleditsia, Robinia, Sophora), as progressões ou as oposições do vegetal nativo e espontâneo do jardim extensivo selvagem de caráter urbano e artificial dos jardins de bambus.

O vegetal é funcional (cobertura do solo, sombra, enquadramento) e contextualizado, pois se associa às massas construídas e aos minerais. As plantas participam na percepção do espaço e não são apresentadas como vegetação ornamental.

Eis algumas seqüências dos espaços realizados sobre essa cobertura, cujos nomes são qualitativos dos espaços, dos objetos e das paisagens.

Setor 1: Ponte das Delícias; Padaria dos bambus gigantes; Constelação de objetos: candelabro, sofá urbano, acácias e bambus anões; Candelabro; Salão da sombra de uma Sophora; Passagem entre os ateliês (outro arquiteto); Tanque de areia para as crianças; Rochas; Tanque de areia e para-sóis urbanos; Passagem através dos bambus gigantes; Pérgulas; Sofá sobre o piso de madeira; Cobra acrobata; Jardim de bambus; Constelação; Borda da ciclovia; Profundidade transversal; Sala à noite.

Setor 2: Passagem da ponte, biblioteca do bairro (outro arquiteto); Saída da biblioteca; Acesso; Fonte; Transição de escalas; Piso plantado de Acácias; Piso de madeirarepleto de jogos; Passagem entre os ateliês; Compressão, dilatação; Centro de Convivência do bairro e espaço coberto; Jogos sob o espaço coberto; Espetáculo de dança sob o espaço coberto;.

Setor 3: Passagem da ponte em espelho; Espaço adolescente, *street-ball*; Skate-board sobre as barreiras; Jardim estendido; Sala no jardim; Mesa redonda; Acesso ponte *d'Aïre*; Na borda da plataforma; Retorno ao talude.

Apesar de um piso contínuo e o ajuste às vezes delicado da intervenção de diversos arquitetos para a realização dos edifícios, essa experiência alcança os limites da coerência de uma arquitetura que se quer unitária, que recusa o brilho das expressões arquitetônicas, talvez para se lembrar da presença repetitiva da passagem dos trens dos quais ainda se sente ligeiramente a vibração.

Pode ser que, de uma maneira vaga, a sucessão das praças de Veneza tenha nos inspirado, com seus cais e seu piso muito mineral, simplesmente mobiliados com um banco ou uma árvore.

O passeio continua sobre esse lugar elevado, busca uma sensação de "estar em outro lugar" dentro da cidade de Genebra, um lugar de trocas, de cruzamentos, de relaxamento, de respiração.

Algumas reflexões

O ensino tirado dessa "aventura urbana" pode se traduzir por uma pesquisa estética e uma atitude ética frente aos desafios econômicos, frente ao bairro e aos seus habitantes.

Em primeiro lugar, o projeto não se presta a uma compreensão imediata do mundo político e o dos usuários. Sua problemática se revela somente quando se faz o esforço de entrar no projeto, com suas regras de jogo e seu espírito: uma espacialidade em ruptura com as referências habituais e os códigos do lugar.

Para o arquiteto assim como para os interventores externos, os obstáculos são numerosos para tentar domesticar uma morfologia imposta pelo traçado ferroviário que não tem nada a ver com a medida urbana e a dos homens.

O grande e o pequeno são levados em conta simultaneamente. Durante o processo é preciso inventar as modalidades de ação, que ultrapassam o campo habitual do arquiteto, e responder às situações muitas vezes imprevisíveis.

Essa insuficiência consciente engendra um movimento de dentro para fora, favorecendo a interdisciplinaridade: um deslocamento das competências que permite um questionamento renovado das práticas estabelecidas. Certos desenvolvimentos resultaram em áreas de ajuste com o bairro, muito animadas. Outros temas, como o dos jogos infantis, tiveram a contribuição de alguns habitantes e o conhecimento de um muito aplicado ateliê de desempregados.

Não se trata de comunicar o projeto numa forma de discurso, porém em cenários. É o desconhecimento do desenvolvimento no tempo que condiciona essa luta da cultura da dúvida.

Seria o "conceito de planejamento" que resume "a idéia força" do urbanismo do século XX, segundo André Corboz, suficiente para antecipar as novas estruturas de relação e distribuição? Como abordar o apagamento progressivo das fronteiras entre as cidades?

Podemos ainda oferecer novos territórios para morar, encontrando uma via que chegue a desfazer o antagonismo entre o mundo da construção e da salvação do meio-ambiente?

Creio que seja necessário às vezes provocar o imaginário e surpreender a realidade. Ao meu ver, é sempre possível através da atividade do projeto encontrar a força de resolver o equilíbrio entre a realidade material e a implantação de idéias.

As ferramentas informatizadas contribuem a um conhecimento muito fino do território – da topografia e da cartografia, por exemplo – e as modificações permanentes do piso e do subsolo se inscrevem numa espécie de grande livro facilmente acessível que se enriquece a cada dia com novas informações.

A percepção do mundo sensível e a aceitação do real constituem os postulados de base de nossa atitude. As atividades de detetive e de cenógrafo são indissociáveis da concepção, que busca somente metabolisar uma nova realidade em embate com seu meio social e físico.

É o olhar sobre o território que nos permite visar e modificar sua representação.

Epilogo

A apropriação pelos usuários do bairro não se faz sem questionamentos nem conflitos: a partir do instante em que a maneira de "fazer cidade" não é habitual, a identificação no espaço demanda uma abertura a novas espacialidades, nenhum manual existente podendo convir nessa experiência urbana nova.

À semelhança de plantações, somente o tempo permitirá um enraizamento nas novas práticas urbanas.

É pela pesquisa de um imaginário, de uma intuição poética da cidade contemporânea que eu tentaria apreender a incerteza do desenvolvimento do território contemporâneo.

[Debate 05, Fundação Bienal, 17 de setembro de 2003. Debatedores: Francisco Spadoni e José Magalhães Jr.]

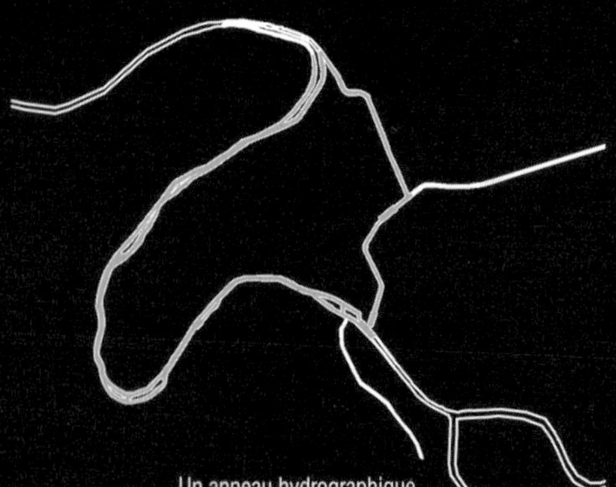

Un anneau hydrographique

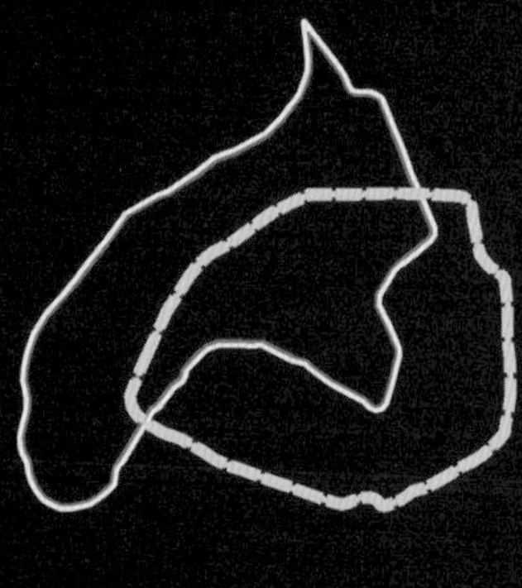

Une émancipation de paris

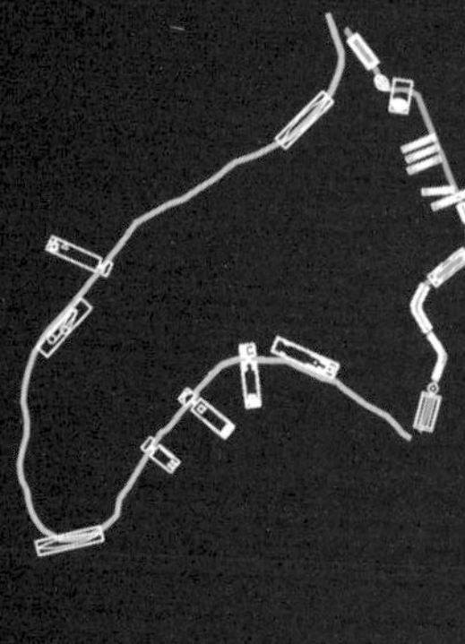

Histoire et monumentalité assemblées

Patrick Berger

Qual idéia de cidade?

O homem está descolado da natureza porque também as cidades contemporâneas estão descoladas de seu solo – elas o são na sua concepção, na sua representação e nas suas sensações. A cidade, que é o único futuro do homem, é a partir de então seu único *meio*. Um meio é feito da totalidade das propriedades físicas de um lugar; ele não é seletivo, ele põe em relação o conjunto de suas propriedades.

Pensar na cidade como meio é um desafio para o homem assim como o é o meio-ambiente. O solo, com suas características, desenhou poderosamente a história material e a forma das cidades. É um dos elementos primeiros de um meio e também a continuidade pelo lado da fragmentação das grandes aglomerações contemporâneas.

O solo apresenta recursos e obstáculos que devem ser revistos e geridos. É com ele que as técnicas, os espaços e as figuras da cidade se revitalizarão conjugando-se com os valores de sociabilidade. Para isso, canteiros são necessários e inevitáveis – tanto os canteiros prévios de transformação como os canteiros sobre as idéias que devemos ter de nosso meio-ambiente. Assim, os meios das cidades são feitos hoje de entrelaçamentos naturais e construídos nos quais a complexidade é estendida à escala do território.

Devemos admitir que esse estado não é mais reversível. A utopia não tem mais futuro. O futuro pertence às concepções e às operações que partirão do estado das coisas naturais e construídas para adaptá-lo ao homem e não o contrário. A estetização do real para adaptar e pacificar nossa relação com o meio-ambiente é um impasse. É o real que precisa ser adaptado no seu estado e com os meios dos quais dispomos.

Se as cidades sempre estiveram, no fundo, em situação de crise, elas entraram portanto num novo ciclo, o da auto-transformação *não extensiva*. As cidades terão logo consumido todo o espaço que o território lhes concedeu. O espaço ficou limitado e se confronta em seu curso com suas morfogêneses. A concepção das cidades, com seu processo de decisão territorial, deverá buscar as ferramentas conceituais e técnicas para auto-organizar os estados críticos.

Programa, solo, morfogênese, são as noções-chave indissociáveis para pensar nas grandes aglomerações assim como sua arquitetura. Essas noções podem nos permitir representá-las, organizá-las e "*arquitetá-las*".

Nos trabalhos apresentados nesse debate se aplicam tais reflexões:

– Representação eletrônica de uma grande aglomeração à escala de uma região: o Arco do Lago Leman, Suíça.

– Espaços públicos e redes: o programa dos Jogos Olímpicos 2008 redesenhando Paris.

– O solo como recurso arquitetônico: diversos exemplos de projetos e realizações arquitetônicas em Paris e na Suíça.

Uma outra representação das cidades

As representações que fazemos das cidades contemporâneas não nos permitem mais pensá-las. As grandes aglomerações são incontroláveis entre outros motivos porque suas representações atuais não têm qualidade operacional sobre o estado *material* do meio ambiente material e construído. No estado da complexidade natural e construída, a padronização tem aqui sua primeira utilidade.

O que representar e por quê? Representar é ao mesmo tempo explicar e projetar: as novas representações de cada grande aglomeração em sua globalidade material são, para esse fim, necessárias. Essas representações serão geométricas para serem inteligíveis para todos os atores que intervenham sobre seus meios.

A complexidade do meio contemporâneo não é excepcional. Todos os fenômenos físicos da natureza são complexos e a cidade é somente um desses fenômenos. As ciências da vida têm como objetivo buscar formas subjacentes aos fenômenos físicos para compreendê-los e controlá-los. O urbanismo deve ser hoje uma dessas disciplinas. Tudo se geometriza.

As metrópoles, à primeira vista análogas com sua forma complexa, caótica, de bordas incertas, de fato, não se parecem.

Projeto apresentado em 2000 pelo arquiteto Patrick Berger para a candidatura de Paris para os Jogos Olímpicos de 2008
Perspectiva de Didier Ghyslain

O solo, que é sua marca, constitui com suas singularidades estáveis, materiais e construídas, uma singularidade morfológica. Suas morfogêneses seguem as vontades de sua própria História que é o encontro entre os programas e o solo.

Cada metrópole tem uma forma única.

O espaço público e as redes

O espaço público é a condição democrática para toda a cidade. É unicamente nesses espaços que os homens de todas as condições podem se encontrar, é em torno a esses espaços que as diferenças sociais e comunitárias podem dar lugar sem conflito à diversidade de seu símbolo.

O espaço público é tanto uma figura de espaço como uma figura sociológica. É o receptáculo dos artifícios da natureza ou o suporte das cenas sociais assim como o quadro dos programas emblemáticos. É a referência legível dos valores que uma cidade escolhe e aplica à sua época.

O urbano não é a condição da cidade. O espaço público é a condição primeira da cidade. Onde situar os espaços públicos e que forma dar-lhes é a questão urgente para as grandes aglomerações. Sua fragmentação, sua heterogeneidade, sua complexidade espacial não podem mais apelar aos princípios do traçado, nem aos alinhamentos unitários e à duração do canteiro do passado.

O espaço público deve inscrever-se no estado das coisas, sem demolição excessiva e com tempo de realização rápida. O destino dos espaços públicos está definitivamente ligado ao destino dos espaços da natureza. Estando o estado natural e o estado construído híbridos hoje em dia, não podemos mais conceber a natureza de um lado e a obra humana de outro, separados como dois meios antípodas.

A noção de limite substitui a das bordas imprecisas e a distinção entre a natureza e o artefato se dissipa. A oposição natureza *versus* cultura não se verifica mais e não é mais operacional. Outras articulações têm como objetivo a busca da vida da natureza na cidade, sendo que a forma dos espaços públicos deve adaptar-se a ela, liberando-se de suas figuras convenientes.

Os potenciais dos espaços públicos e a presença dos elementos naturais convergem principalmente sobre as redes. As redes, sejam de hidrologia, naturais ou de artefatos, são os recursos principais para a criação dos espaços públicos. A continuidade das redes gera a continuidade do espaço público. A continuidade é uma também condição democrática da cidade e a continuidade dos elementos naturais é uma condição ecológica. As formas das redes são a exploração das formas de reconfiguração de nossas cidades.

A escolha estratégica da localização dos programas emblemáticos sobre as redes, acompanhada da criação dos espaços públicos, terá mais potência de transformação do que a sua escala.

O programa e o solo

Os programas arquitetônicos são geralmente reduzidos a questões de uso e a uma oportunidade de terreno. Eles não participam, a princípio, de uma política da cidade.

O programa arquitetônico é o primeiro lugar de decisão para um projeto de cidade. É ali que deve ser projetado o que deve ser gerado além do objeto a construir: assim como o impacto na escala urbana de sua localização, o espaço urbano que ele pode engendrar, as escolhas técnicas do ponto de vista dos recursos e limitações do lugar e os valores sociais que serão simbolizados.

O solo é um dos dados privilegiados das respostas arquitetônicas ao programa. É um recurso que a arquitetura deverá considerar a favor do meio-ambiente. É um recurso tanto de materiais nas escolhas construtivas ou climáticas como o espaço para a poética arquitetônica.

O solo é também um modelo, ele revela as leis da natureza. A natureza desenha suas formas com economia reduzindo cada matéria a alguns elementos. A multiplicação desses elementos cria as figuras do espaço da natureza. O elemento é a condição de organização econômica de todos os materiais.

A arquitetura de todas as coisas é a forma simples subjacente à auto-organização de uma complexidade. O ato da arquitetura é a operação que consiste em resolver a complexidade do encontro de um programa com o solo.

O Programa dos Jogos Olímpicos 2008 redesenha Paris

Esse projeto é um dos que foi apresentado pela cidade de Paris para a candidatura de Paris aos Jogos Olímpicos de 2008.

A idéia desse projeto é uma estratégia de localização do programa dos Jogos Olímpicos, para, com um mínimo de construção e de tempo de realização, gerar o máximo de efeito sobre uma reconfiguração da aglomeração parisiense, confrontada hoje com o problema da separação entre o centro e a periferia.

Em 2008, o percurso da Maratona inauguraria uma nova geografia. Com um anel hidrográfico de 42 km, os Jogos Olímpicos redesenham Paris. Esse curso de água existe, ele está sob nossos olhos; ele somente pede para ser revelado.

Sigamos por ele: partida do Sena na Porta do Arsenal, subindo pelo Canal Saint-Martin, depois ao longo do Canal Saint-Denis, Aubervilliers, Saint-Denis, depois novamente o Sena, a margem direita em direção à montante, às grandes ilhas de Ile de France, a Ilha Saint-Denis até à da Cite, voltando ao Quai Henri IV.

Esse traçado religa os grandes edifícios da História e o impulso da Capital: a coluna da Bastilha, a rotunda de Nicolas Ledoux, a vila olímpica, o Stade de France, la Défense, Longchamp, Ilha Seguin, os monumentos parisienses ao longo do Sena, o Campo de Marte até o Jardin des Plantes.

Essa volta única se cruza com os do anel dos limites atuais de Paris. Deslocando seu centro, ela nos libera a visão atípica do intramuros e o extramuros.

Anéis entrelaçados, o símbolo dos Jogos olímpicos, transformam-se na nova configuração de Paris. Trata-se de um ponto de vista onde o céu e a água se juntam para repensar o futuro de uma cidade.

Isso se sustenta por um fio que é mais sólido do que imaginamos, pois não é o Leste-Oeste sujeitado ao anel periférico, porém Norte-Sul seguindo a água que deu nascimento a Paris e que aqui a emancipa. Esse fio é o encadeamento dos canais de Saint-Martin e Saint-Denis. É uma via natural, é a via estratégica para a conjugação do Centro e da Periferia, é uma via de prestígio para o esporte e a cidade.

Conseguir uma continuidade urbana da Praça da Bastilha até a Ile Saint-Denis é superar de uma vez todos os obstáculos, do periférico até a Porta de Aubervilliers. Trata-se de uma abertura necessária para a vida.

O esporte é o valor compartilhado de nosso tempo. Assim, ele é o programa de nossa época. Ele é emblematizado sobre um eixo de desenvolvimento de Paris. O esporte na cidade não se trata somente de permitir um uso, porém deixar visíveis os signos construídos, deixar manifestar a transformação da forma urbana à qual ele irá dar espaço.

As intervenções arquitetônicas permitem ao corpo e ao espírito se encontrarem. Ali, numa condensação "à parte", formas de esporte, ao ar livre e de grupo, a cidade volta à sua origem. Algo como uma ilha na cidade.

Este é um projeto de micro-ambientes: isolados da agitação urbana, são refúgios de vida de volta ao solo natural, intacto. Grandes tanques de areia fazem a arquitetura. Eles recolhem e filtram a chuva. A água que ressurge é pura.

Tais lugares serão criados: suas formas tutelares serão as inscritas nas docas do lugar. A Vila Olímpica não é um bairro, é um arquipélago construído. Ela se inscreve numa cidade-jardim na qual ela define a paisagem.

Cinco "ilhas" reconectadas pelo bonde oferecem cada uma um quadro para os momentos da vida olímpica: Residência sobre uma praia, espaços de lazer ao longo de um teatro na água, piscina submergida da água, ar livre circunscrito pela água, restaurante e lugar de culto sobre um plano de água.

Os participantes passam de um ao outro na cidade, não são becos sem saída. O esporte não é mais uma recreação, é um modo de vida urbano.

Os Jogos Olímpicos podem escrever Paris.

[Patrick Berger, arquiteto. Jean-Christophe Quinton, chefe de projeto. Julien Abinal, Edouard Ropars, arquitetos assistentes. Thierry Martin, maquete. Didier Ghyslain, perspectiva. Com Janine Galiano, arquiteto]

O Parc André Citroën-Cevennes

Esse Parque é a quarta perspectiva sobre a margem esquerda de Paris. O caráter e sua orientação para o Sena o deixam comparável ao Jardin des Plantes, ao Campo de Marte e os Inválidos. Ele prolonga o tratamento característico dos grandes espaços públicos fundadores.

A cidade entra ali e ele entra na cidade. O tratamento de seus limites anuncia uma nova relação do urbano e da natureza. Há a fusão da arquitetura com o vegetal. A estabilidade das formas arquitetônicas apresenta o movimento das texturas vegetais.

O encontro do material arquitetônico com o material vegetal constitui essa paisagem. Cada figura construída apresenta um jardim temático.

Lugares fechados, rampas, caminhos de água sobre a pedra, fontes monolíticas, termas, estradas, expõem as formas de movimento da água, da luz e das plantas. Não há outra abordagem que não essa do movimento como idéia de natureza.

As estufas seriais dão livre curso ao desenvolvimento das trepadeiras e árvores frágeis que ali crescem. As passarelas que ali chegam, atravessam a massa de folhagem das árvores que as cercam. O mobiliário oferece muitas possibilidades de repouso.

O silêncio frente à arquitetura enquadra ou dá "lugar" às variações desses jardins que podemos tocar, atravessar, e que somente representa o jogo de suas texturas, de suas cores, de seu movimento, de sua matéria no estado mais puro.

Duas estufas formam a perspectiva longínqua geral do Parque. Elas opõem seus pilares e suas portas à leveza de seu pano de vidro. Uma contém um jardim austral e a outra uma estufa que pode igualmente servir como espaço expositivo.

As dimensões de 15 metros de altura, 15 metros de largura e 45 metros de comprimento e os jogos de água do piso que elas enquadram, emblematizam esse jardim na escala de Paris.

O Viaduto das Artes

Em 1853, uma concessão foi dada à Société de Chemin de Fer Paris–Strasbourg para criar e explorar a linha "Bastille/Bois de Vincennes" que percorre o 12º Arrondissement de Paris de Oeste para Leste.

O caminho de ferro da Bastilha, inaugurado em 1859 foi desativada em 1969. O desnível do terreno exigia a construção de um viaduto de 67 arcos sobre um trecho linear de aproximadamente um quilômetro e meio entre a Bastilha e a rua Rambouillet.

Essa realização concerne à restauração do Viaduto, à criação de um passeio verde sobre o trecho de via férrea abandonada e ao estabelecimento sob os arcos de comércio e locais de exposição de artesãos. Ela dá lugar à revitalização urbana da avenida parisiense que o Viaduto engendra.

Para restaurar a imagem original do Viaduto, a parte central dos arcos em pedra de calcário foi deslocada para sublinhar sua curva pela sombra marcada sobre o vidro recuado em relação ao alinhamento geral.

Com o intuito de explicitar a fina espessura da obra e preservar a noção de transparência e profundidade, as fachadas translúcidas fecham a parte posterior das arcadas.

As fachadas apresentam dois níveis de leitura.

O primeiro na escala do Viaduto traz a noção de unidade pela presença sistemática e repetida de dois elementos de fachada na parte superior de cada arco: um cimbramento rebaixado e uma tela geminada translúcida. O cimbramento se apresenta como um arco leve, em madeira dividindo horizontalmente a fachada em duas partes. A tela geminada está suspensa por cabos tensionados entre o cimbramento e o cume do arco. Elas são o suporte das insígnias de cada comércio.

O segundo nível de leitura ao nível do arco se efetua nas vitrines baixas e constitui o quadro de exposições livres e específicas de cada atividade. Enquanto a parte superior das vitrines se situa a 1,20 m, a parte baixa situada sob o cimbramento é recuada somente em 35 cm para responder às dificuldades de manutenção e segurança no nível da calçada.

Forma de uma cidade lemânica

A região lemânica ampliada (relativa ao lago Léman, na Suíça) alcançando Villeneuve, Genebra e Yverdon, tem passado por uma transformação progressiva desde os anos 50 que lhe assegura o status de região urbana. Caracterizada por uma paisagem e um meio geográfico muito homogêneos, porém fragmentada politicamente, ela não definiu os traços dessa urbanidade, enquanto as fronteiras entre cidade e campo vem sendo há muito tempo atenuadas.

Um rápido olhar sobre a história nos mostra que os momentos críticos de sua evolução se traduziram por mutações essenciais resultantes de canteiros de grandes programas ligados à evolução dos usos e necessidades.

Do traçado das vias romanas à construção das estradas, passando pelos grandes programas agrícolas, militares, turísticos ou residenciais, seu futuro foi de fato modelado por tais intervenções. A identificação e a definição dos que serão os próximos programas dessa ordem, a antecipação de seu impacto, o nascimento e manutenção de uma vontade política para construí-los ou controlar seu desenvolvimento, formam a partir de então uma parte importante do trabalho dos atores da construção da cidade e do meio-ambiente.

É possível que um dos grandes canteiros da região será a realização de um grande número de habitações. Em todo caso é essa a hipótese de trabalho tomada, contando, nessa possibilidade, com uma centena de milhares de habitações para o conjunto da região.

Sem abordar a formalização desses elementos de programa, os estudos aqui presentes tiveram como objetivo estabelecer os esquemas de projeto em grande escala, nos quais a geometria e os esquemas topológicos resultam de uma observação seletiva e crítica do lugar. Ali observamos o potencial da topografia, a hidrologia e a natureza dos solos, na sua composição com grandes redes rodoviárias e ferroviárias e o sistema de implantação das cidades e vilas.

Superando a atração polar das cidades de Lausanne e Genebra, os croquis propostos indicam o contorno ou a estrutura de organizações urbanas estendidas a áreas inteiras do território lemânico. Multiplicando os olhares sobre a região lemânica, esse primeiro estudo tem o mérito de propor-lhe novos retratos, cidade-jardim ou cidade paisagística. Se o desenvolvimento de tais projetos se chocasse rapidamente aos contingentes políticos atuais, ele lhe traria ao menos uma visão ampla do futuro possível da região, de forma a pensá-la como uma organização urbana.

Fundada sobre a prática do prometo, a abordagem adotada implica num risco tomado e uma atitude prospectiva. Ela se apóia sobre a fé no potencial organizacional das grandes redes, da topografia e do solo, suscetíveis de engendrar forma e sentido, mesmo na grande escala, desde que se tome o esforço de lhe decifrar as capacidades.

[Texto extraído do Bulletin technique de la Suisse Romande, SIA Editeur. Projeto desenvolvido na Cadeira do Professor Patrick Berger na Ecole Polytechnique Fédérale de Lausanne. Projeto urbano, territorial e arquitetônico: Philippe Bonhote, arquiteto diplomado pela EPFL]

A sede da UEFA em Nyon, Suíça: a natureza e a regra

Um signo puro frente ao Mont-Blanc: um terraço único, elevado, um grande horizonte de lago que uma linha reta de um lado ao outro do terreno separa do céu. Acima, em cada extremidade, dois vestíbulos enquadram a vista sobre os Alpes e o Mont-Blanc, esse monumento geográfico.

Há um fenômeno próprio do lago Léman: a paisagem ao longe aparece, se delineia ou desaparece gradualmente com o tempo. Essas variações físicas cotidianas e os movimentos da luminosidade que as revelam são absorvidas pela arquitetura.

O vidro, o alumínio, a pedra compondo as superfícies do edifício. Seu reflexo ou sua textura difundem as lentas metamorfoses do lugar. A arquitetura foi pensada a partir dessas impressões. Seu desenho, seu espaço e seus materiais geram uma outra maneira de olhar e perceber a natureza dessa paisagem e suas manifestações.

O terraço é acessível pelo interior mas também pelo jardim sobre a rua por duas passarelas. Ele é o "pátio de honra" da União das Associações Européias de Futebol – UEFA, o lugar privilegiado de suas recepções. Na altura dos olhos a partir da rua, ele deixa escapar a vista. Na altura das copas das árvores dos interstícios, ele busca uma sensação de flutuação sobre o plano de água quando ele é usado.

O edifício apresenta três níveis interiores principais.

Os dois níveis superiores se organizam segundo o cruzamento e as seqüências de vistas que atravessam e panorâmicas sobre o lago Léman, à frente e sobre o Jura logo atrás. A função que eles abrigam é a dos escritórios da UEFA. Seus planos propõem grandes superfícies adaptáveis segundo a evolução dos locais de trabalho.

Para desimpedi-los amplamente e ter como resultado um só volume divisível, a estrutura portante é posta no centro do edifício. Pilares circundam uma nave central iluminada zenitalmente, onde se desdobra o conjunto das circulações verticais e horizontais, assimétricas. Os pisos usam a protensão e o balanço do terraço como apoio. Ao final, a estrutura desaparece.

Trata-se de uma arquitetura que exprime a horizontalidade: a horizontalidade do lago se prolonga com os planos sucessivos que desenham o edifício. É também uma expressão contemporânea por suas técnicas e sua prática. Os falsos tetos e forros contém todos os fluídos e a aparelhagem de conforto e comunicação avançada que exige a vida dessa instituição.

Em cada andar, o plano do piso e do teto se projetam sem alteração em superfície além da fachada de vidro. O piso é revestido de carvalho e pedra. O teto é constituido de um painel em alumínio suspenso. Ele se chega até a borda da laje superior. As divisórias são móveis. Sua flexibilidade de implantação é regida por uma trama generalizada, que concorda com a colocação dos vidros. Um grande vão permite a ventilação natural do edifício.

O espaço compõe o espetáculo da paisagem que o envolve e as condições contemporâneas de trabalho e recepção. A arquitetura clama pela harmonia entre a natureza do lugar, a performance técnica e funcional e o silêncio interior.

O terceiro nível livre inscreve-se na mudança de inclinação do terreno. Ele concentra os lugares de recepção: o auditório, o comitê executivo, o tribunal, uma galeria de exposição e as salas de restaurante.

A entrada cotidiana se faz pelo nível intermediário diretamente pelo estacionamento sob o jardim de gramíneas. Um grande cedro que ali estava foi conservado, fundando o conjunto de desse projeto.

A nova sede da UEFA é um novo ponto de vista construído sobre esse lugar único na Europa.

Projeto sobre Philidor-Maraîchers e construção de um Centro Sócio-Cultural para a RATP

O Centro Cultural do Comitê da empresa está implantado no cruzamento da rua Philidor com a passagem de Lagny.

Visível de todos os lugares, em especial das ruas de la Plaine e des Maraîchers, ao mesmo tempo em que estrutura inegavelmente o ambiente no seio do qual ocupa um lugar emblemático, ele participa igualmente, por sua forma compacta, sua simplicidade arquitetônica e sua materialidade, na paisagem na qual se inscreve e onde se transforma claramente num de seus componentes.

Sua situação como sua volumetria acusam o caráter institucional desse elemento do plano de massa. O espaço recuado que forma a via privada, sua volta pela rua Philidor assim como a tomada das vias RATP permitem tomar a base mineral sobre a qual repousa o jardim e se ergue o edifício.

Uma volumetria simples, apurada, valorizada pela ordenação dos materiais nobres que a compõem (metal e madeira), o edifício expõe generosamente sobre a rua o espaço fluido e luminoso de um vasto hall de recepção.

O tratamento do térreo e suas disposições levam em conta a dupla vocação do programa, uma delas ligada às atividades de formação cultural, a outra relativa às manifestações culturais receptivas ao público.

Assim o hall é ao mesmo tempo concebido como um espaço de recepção dando acesso às salas de formações orquestrais quando ocorrem manifestações públicas, mas também como um espaço de recepção, de espera e de exposição das atividades pedagógicas. Ele se prolonga por umjardim fechado onde as crianças podem jogar em segurança.

As atividades pedagógicas são situadas em andares, as salas destinadas às formações musicais estando implantadas no nível -1. Essa disposição permite ao espaço sócio-cultural de preencher plenamente sua dupla vocação mantendo uma coesão geral entre as diferentes partes do programa.

A escola de música sendo o elemento do programa que acolhe o maior número de estudantes, está situada na proximidade imediata do hall, no primeiro andar. O centro de empréstimo e a administração formam um conjunto que ocupa a totalidade do segundo andar. O espaço artístico, assim como o centro de lazer, ocupa o terceiro piso permitindo beneficiar-se da melhor situação de iluminação natural para as salas de desenho e de preservar ao centro do edifício um espaço de lazer externo protegido para as crianças do centro de lazer.

A concepção da estrutura liberando as divisórias de qualquer função estrutural, assim como a ordem da fachada, permitem conjuntamente uma flexibilidade de arranjo diferenciado ao longo do tempo.

Desenvolvimento durável: dois edifícios de escritórios em Paris Seine Rive Gauche

A vida e o desenvolvimento do meio-ambiente se confrontam hoje na relação do estado natural e do estado construído. Trata-se de uma questão prioritária para a cidade que está descolada da natureza tanto em seus recursos quando nas suas condições locais.

O solo, o clima, a luz, o ar e seus movimentos constituem os aspectos de um meio natural. São as formas e os materiais de uma paisagem produzida pela natureza assim como há as formas e os materiais da paisagem edificada pelo urbano. A união dessas formas e desses materiais na concepção física de um novo quadro urbano é uma necessidade da sociedade de nossa época.

Este projeto trata da simbiose entre arquitetura e a natureza, concreta, real, ou seja, a associação durável e reciprocamente aproveitável de uma construção, de seus usos e de seu meio-ambiente natural.

Três ciclos fazem parte deste projeto. Eles constituem as escolhas e a expressão arquitetônica.

O ciclo do ar natural

O projeto é inicialmente um dispositivo de ventilação natural tanto no verão quanto no inverno. O ar refrescado ou aquecido pelo solo natural circula no coração do edifício e ventila cada andar. Ele é então recolhido na fachada por um jogo de alqueires de tamanhos progressivos para ser reciclado logo em seguida. O ar e as formas de sua fluidez se exprimem na fachada.

O ciclo de um sistema construtivo em argila

A arquitetura será construída essencialmente a partir de um material único: a argila. As fachadas, assim como o piso serão feitos a partir de componentes encaixados. A durabilidade, a inércia térmica e o caráter reciclável desse material determinaram sua escolha.

O ciclo das funções dos imóveis urbanos

Hoje em Paris, imóveis dão lugar sucessivamente a uma ocupação de habitação, de escritório, habitação, etc.

Um imóvel urbano não tem mais função perene. Os usuários demandam áreas que possam acolher a vida mutante de seus destinos. A planta é desenhada com esse intuito, simples, ampla, modulável, podendo igualmente dar lugar a grandes volumes sobre dois níveis pelo princípio de pisos intercalados, desmontáveis.

As fachadas laterais do edifício são constituídas de corpos perfurados que organizam as reservas necessárias a todas as redes de alimentação e de evacuação da água, adaptáveis às diferentes funções sucedendo-se no tempo (cozinha, banheiro, cafeteria, escritório, etc...).

Essas são as três concepções de desenvolvimento sustentável associadas ao projeto. Esses três ciclos são pensados com a estabilidade e a adaptabilidade que lhe são próprias. Essas qualidades de energia, materiais e conversão são conjugadas com uma economia de meios. Eles constituem o caráter dessa arquitetura.

A arquitetura é aqui uma fusão de formas construídas do ar, da terra, do habitado. A forma é simples, proporcionada; sua razão de ser é legível. Há um elo com a herança arquitetônica de Paris e essa é também uma alternativa para abrir outros horizontes nas obras desta cidade e seu meio ambiente.

Pavilhão dos Pássaros no Parque de Collodi, Itália

Quase perdida no fim de um passeio, uma biblioteca primitiva imersa na floresta. Ela contém todos os contos que personificaram um pássaro. O filho do ar, o pássaro, preenche o parque com seu canto, tendo inspirado o imaginário dos grandes contadores.

Se o pássaro tivesse vivido sem o homem, o homem não teria vivido sem ele e sem suas fábulas e o maravilhoso posto no ganso, no cisne, na gralha, no alcatraz, nas andorinhas, nas águias... ou desde a origem das sociedades no Hércules-pássaro que se transformava num gigante.

Esse pavilhão poderia ser o lar dessa mística volátil, pois sua construção está concebida como uma arquitetura animal onde a carpintaria e o vegetal se entrelaçam. Trata-se de uma choupana ou de um ninho de tamanho surpreendente?

Suas dimensões são de 20 metros de comprimento, 10 de largura e 13 de altura. Sua fabricação é leve, ela conjuga uma longa estrutura em alumínio com um jogo de pequenos elementos repetitivos que são galhos de árvore cortados e tratados.

A forma desse dispositivo é arborescente em planta, em corte e elevação. O volume desse conjunto está rodeado de árvores de troncos altos que o roçam com sua folhagem. Os limites entre a natureza real e seu artifício ficam incertos.

No interior do pavilhão estão expostos, ao alcance das mãos, trechos selecionados de Aristófanes de Charles Perrault, de La Fontaine a Andersen... de todos os autores que nos fazem sonhar com o mundo dos pássaros.

Mais que ilustrados, esses pássaros legendários são visíveis sob forma figurativa, suspensos em altura sobre as superfícies abobadadas dessa sala estranha.

O público entra por duas aberturas opostas, e outros pássaros, dessa vez verdadeiros, irrompem por aqui e por ali para construir seus próprios ninhos.

Esse pavilhão dá uma sensação de encantamento tanto por seu tema narrativo quanto como signo construído onde se misturam a natureza e a cultura.

[Debate 06, Fundação Bienal, 17 de setembro de 2003. Debatedores: Maria Angela F. P. Leite e Rosa Kliass]

Nas cidades européias, as tradicionais áreas portuárias se deterioraram nos anos sessenta e setenta, implicando em um lento, mas contínuo, processo de esvaziamento. Como resultado do progresso tecnológico, os portos foram se transformando e, conforme o tamanho das embarcações aumentava, cada vez era mais necessário o aumento do calado. Todas essas demandas não eram compatíveis com os antigos portos. A competição entre os portos europeus aumentou e se tornou uma corrida para saber quem seria ou poderia ser o primeiro, o melhor ou o maior.

Um espírito empreendedor fez Roterdã se sair muito bem. Uma nova rota marítima foi escavada para os navios navegarem mais facilmente. O calado ficou garantido com a execução de um ótimo trabalho de dragagem.

Esse foi, em resumo, a essência do processo de mudança em Roterdã, semelhante a diversas cidades européias e mesmo fora da Europa, como é o caso de Baltimore e Boston nos Estados Unidos.

Mudanças na paisagem portuária

Se no passado, até o final dos anos setenta, a zona portuária era muito relacionada à cidade e à paisagem urbana, repentinamente isso mudou de forma substancial.

Baltimore e Boston foram as primeiras a desenvolver suas antigas áreas portuárias. Em Nova York toda a costa marítima ao longo das duas margens do rio Hudson se tornou objeto de operações de renovação urbana.

Em Roterdã, a parte central de *Kop van Zuid*, projetada na margem esquerda do Maas, se tornou o foco no programa de renovação urbana (1985). A saída de toda a atividade aquática junto ao cais resultou na liberação de uma área de aproximadamente 2000 hectares, pronta para receber novas funções.

Nas áreas portuárias, como nesses casos, podemos ver o reflexo físico dos vários ciclos de crescimento que o porto passou. Obviamente as diferenças mútuas entre cidades são grandes: tamanho, idade, localização topográfica, extensão da urbanização ou a localização isolada e degradada.

Estrada na água

A grande vantagem do porto de Roterdã é sua condição de porto natural. O delta do Rijn termina em uma faixa de água profunda e larga do mar norte, o que possibilita uma livre entrada e saída de navios. Ao mesmo tempo, esse rio dá acesso a uma larga faixa de terra interior que é situada contra a corrente do rio. Trata-se de uma circunstância extremamente favorável, que tornou possível o crescimento e a prosperidade do porto de Roterdã. Essa é, portanto, a essência do porto no qual mercadorias de além mar são trazidas de todas as partes do mundo por grandes embarcações.

Dessa forma, o rio que flui pela cidade tem sido um eixo de transporte de grande importância em Roterdã. Ele sempre foi o centro da economia urbana. Distingue-se como um cenário vivo e móvel de embarcações grandes e pequenas, inteiramente entrelaçado com as atividades do cais, suprindo empresas e atividades afins.

O rio constitui o essencial da cidade. Mas também existe o reverso, como podemos observar nas cidades portuárias. O rio também separa a vida nas duas margens. O desenvolvimento em uma margem se dá mais rápido, enquanto a outra margem fica para trás. Essa separação pode ser vista em muitos aspectos – no sentido político e gerencial, no treinamento e educação de grupos da população e até mesmo na apreciação diversificada das pessoas.

São diferenças persistentes, que podem ser ilustradas pela seguinte anedota: uma vez havia um pequeno homem do lado norte do rio Maas, no novo centro de Roterdã, que queria cruzar o rio. Contudo, ele não sabia como. Então observou alguém se movendo do outro lado. Ele levou as mãos à boca e gritou: "Olá, como faço para chegar aí?" E a pessoa do outro lado respondeu: "Eu não sei, eu nasci aqui".

Essa pequena história caracteriza a situação que existiu por um longo tempo em Kop van Zuid.

Edifícios habitacionais no Kop van Zuid, projeto urbano de Riek Bakker
Foto de Rob 't Hart

Em 1986 *Kop van Zuid* finalmente se tornou um projeto, depois de um longo período de incubação. Um projeto no qual apenas poucas pessoas inicialmente acreditavam. O *Kop van Zuid* era o "lado dos fazendeiros", o lado errado do rio. Ali viviam pessoas de um tipo diferente – eram as pessoas que vieram do sul para ir trabalhar no porto de Roterdã. Atrás da zona portuária uma nova cidade estava se desenvolvendo, uma cidade de trabalhadores portuários e suas famílias, que viviam suas vidas tacanhas.

É verdade que o rio havia produzido uma situação econômica positiva para toda a cidade e mesmo para todo país, mas o contrário também era verdadeiro, ao menos em uma localidade específica em suas margens. O rio Maas foi a linha vital da cidade, mas também dividiu a cidade em duas partes. Essa linha vital foi tão importante que nenhuma obstrução na forma de pontes, túneis ou outro artefato era tolerada no rio, pela simples razão de que poderia atrapalhar as atividades portuárias. Isso também explica porque existiam relativamente poucas ligações entre as margens. O funcionamento econômico era focado no leste-oeste, por isso a relação norte-sul se manteve subdesenvolvida.

Incentivos para renovação

As transformações na economia portuária coincidiram com a queda das atividades industriais na área central da cidade. Os negócios não apenas mudaram, mas também saíram da cidade. Tanto no porto quanto na cidade era como se brincasse de pular carniça.

A localização industrial não era mais satisfatória e o salto para a periferia foi dado. As reais bases disso estão na mudança da economia. A indústria iniciou a mudança, por causa da demanda espacial e também programática, para locais novos. Os locais que ficaram vagos se tornaram disponíveis para outro uso, caso tivessem uma localização favorável e boa infra-estrutura.

As situadas em regiões menos centrais e com características urbanas mais pobres, muitas vezes as antigas áreas portuárias, receberam bem menos atenção e baixa prioridade. O desolado e descampado *Kop van Zuid* foi um exemplo disso.

Então como poderia o projeto *Kop van Zuid* vir a ser realizado?

Na Europa, mas também na América do Norte, existem cidades que tiveram a iniciativa de dar um novo destino para essas grandes áreas próximas ao mar. Roterdã era pioneira na Europa a esse respeito. Um importante motivo era o desejo de expandir a economia da cidade, uma vez que a atividade econômica baseada unicamente no porto era muito vulnerável. Então havia um grande motivo não apenas para levar a economia a um caminho diferente, mas também para expandi-la. Isso deu forma a um plano estratégico de renovação de Roterdã. Unir os processos e deixar para trás o desenvolvimento absolutamente localizado tornaram-se prioridades. Assim, uma nova economia e plano de ação social poderiam ser introduzidos.

Esse fenômeno de transformação urbana se tornou referência para o desenvolvimento de grandes áreas contínuas. Abandonar a perspectiva de um desenvolvimento apenas local, priorizando o desenvolvimento de uma área, se tornou instrumento para a prática de desenvolvimento urbano daquele momento. De um certo modo isso era uma revolução, pois tudo passou a ser visto na escala urbana, merecendo uma abordagem integral.

A proposta era alcançar vários resultados: melhorias econômica e social, um ambiente de vida melhor, uma boa infra-estrutura para o trabalho do aparato oficial, que implicou em uma cooperação na escala do município. Os protagonistas começaram a ter objetivos iguais, planos de ação e estratégia comuns, enquanto na escala do detalhe todos poderiam e deveriam fazer o que sua profissão possibilitava.

Apesar de direcionar o desenvolvimento da cidade, o Conselho Municipal percebeu que, como autoridade, não poderia fazer tudo isso sozinho. A necessidade de uma participação de parceiros ligados ao mercado e diversas instâncias da sociedade era reconhecida e considerada como um importante pilar do sucesso, do necessário processo de mudanças.

Enquanto autoridade pública, o Conselho Municipal precisava ter duas atitudes distintas e complementares, situação compreendida cada vez mais por todos.

A primeira atitude foi assumir a condição de gerente e guardiã do interesse e do domínio públicos. Uma incumbência pesada e importante, que não podia ser responsabilidade de ninguém mais. A outra atitude é a que considera a possibilidade do desenvolvimento, o que exige um trabalho e uma perspicácia diferentes. Uma incumbência que será alcançada principalmente no futuro e que deve combinar uma visão a longo prazo com atividades a curto prazo.

Quando essa compreensão alcança sua total extensão, surgem uma forma diferente de agir e uma maneira diferente de cooperação. Esferas de mercado e parcerias sociais uniram forças e cooperaram umas com as outras desde o início do projeto *Kop van Zuid*.

Kop van Zuid como um projeto chave

O movimento de Roterdã no campo do desenvolvimento urbano não ficou sem ser noticiado pelo país. O governo nacional recebeu bem o projeto e o apontou como um projeto chave, um exemplo para o resto da Holanda. Dessa maneira, um extremamente interessante efeito multiplicador começou a surgir. Esses projetos chave nacionais estavam intimamente ligados à noção de "cooperação público–privado" (CPP), que colocavam em cena novos protagonistas – como as autoridades municipais e nacionais, o comércio local e regional, a indústria –, todos focados no crescimento do volume total de investimento a favor da renovação urbana.

As características da CPP são variadas:

– trabalhar junto na realização de um objetivo comum;

– manter a identidade própria de cada parceiro;

– usar a especificidade do conhecimento e capacidades de cada parceiro;

– objetivos próprios de cada parte claramente descritos, reconhecidos e aceitos, visando uma divisão correspondente dos lucros;

– uma clara divisão das fases do projeto, estabelecendo seu alcance.

O encargo que recebemos de coordenação do projeto envolviam não só os interesses do governo nacional, mas também as questões financeiras da iniciativa privada. Os recursos para a infra-estrutura e em especial a ponte seriam providos pelo Ministério dos Transportes, também responsável pelo serviço público e gerenciamento da água. A cidade de Roterdã, por sua vez, assumiu o compromisso de realizar concretamente, em conjunto com as esferas privadas, o desenvolvimento de toda a área, controlando passo a passo um plano concebido com estágios de intervenção.

Os principais objetivos para o projeto, mas também para a cidade, eram formulados durante o processo. Foi considerada a situação assimétrica entre as margens norte e sul, visando que o centro da cidade cruzasse o rio, abarcando as duas margens do Maas. Um impulso social e econômico se irradiaria pelos quarteirões no entorno do *Kop van Zuid*, assim que uma clara estratégia fosse estabelecida.

O meio ambiente deveria ser melhorado de forma considerável para a vivência e o trabalho, possibilitando a instalação de escritórios, lojas, atividades culturais e equipamentos recreativos. Esses objetivos estratégicos formaram a base de desenvolvimento de toda a cidade e de *Kop van Zuid* em especial. A intenção de que a cidade se beneficiasse com este rumo previsto, especialmente no controle público do processo, tornou possível que o ganho privado fosse também aceitável e compreendido. Dessa maneira as parcerias se concretizaram e a união dos objetivos tornou-se possível. Os benefícios então passam a ser de todos os que estavam envolvidos no projeto. Essa conjugação dos esforços deu um grande impulso ao projeto; sem essa contribuição de todos os parceiros o projeto não poderia ter sido levado a cabo.

Sucesso do projeto

O sucesso do projeto está no número de importantes fatores e características. Em primeiro lugar, o projeto teve uma abordagem integralmente correta desde o início, onde todos os processos importantes – programação, procedimentos e urbanismo – estavam ligados e conectados entre si.

A subdivisão da área de intervenção em projetos parciais e a maneira e a velocidade que os projetos parciais estão sendo executados garantiu que não houvesse nenhuma grande perda e que prevalecesse a coerência entre as partes separadas do projeto, questão sempre central nas discussões.

Essa abordagem integral também foi o centro na cooperação entre o governo e o comércio e indústria. A filosofia da CPP para o *Kop van Zuid* começou por quatro noções chaves:

– qualidade;

– coerência;

– sinergia;

– equalização.

O aspecto integral confere a atual razão da existência da cooperação, pois é a expectativa das partes participantes na cooperação intensiva que irá levar a uma qualidade superior do resultado e também a um maior rendimento. Como sabemos agora, essa expectativa surgiu para ser justificada.

Os efeitos da sinergia surgiram por que as partes do projeto que produziram lucros têm sido diretamente combinadas com partes do projeto sem lucros. Por exemplo, a construção de escritórios, lojas e casas também produziram, ao mesmo tempo, a possibilidade de construção de áreas públicas e vegetação, estacionamentos e infra-estrutura. Isso ilustra como o conjunto realiza altos lucros para todas as partes participantes.

Dentro da CPP, acordos são feitos de maneira que o lucro extra, resultante da sinergia, seja dividido. Essa equalização de custos e lucros entre as parcerias pode se dar de várias formas e, entretanto, não precisa levar a escolhas de programas apenas voltados para o retorno econômico. Nós podemos também pensar em utilizar estabelecimentos culturais, que têm muita vantagem na atratividade da área ou em outras partes do projeto mais difíceis de realizar, as quais são muito determinantes para a qualidade final da intervenção.

Cooperação Público Privado: uma tradição de Roterdã?

A constituição da CPP para a realização da renovação do *Kop van Zuid* é muito característica de Roterdã. A municipalidade conhece uma longa tradição na cooperação entre o comércio, indústria e governo na realização de projetos estratégicos para o desenvolvimento da cidade e do país. O desenvolvimento total da zona portuária, incluindo a construção dos antigos portos nas quadras antigas, e a recente renovação urbana são exemplos dessa tradição de Roterdã.

A essência desse processo é que a municipalidade não se distancia de suas responsabilidades públicas. A municipalidade tem a atitude de um igual, um dentre os parceiros no empreendimento, dando sua própria contribuição, mas mantendo sua condição de autoridade pública que detém a checagem democrática usual do planejamento da cidade e do país. Então, em Roterdã, não existem *Zonas de Empreendimentos* que são tratados de forma autônoma em relação à cidade em um sentido funcional, espacial, legal, e processual. Em Roterdã a abordagem urbanística é fundada na convicção de que a CPP não existe para realizar projetos independentes, mas sim para viabilizar uma abordagem integral, que é do interesse de todos.

[Debate 07, Fundação Bienal, 18 de setembro de 2003. Debatedores: Luis Espallargas Gimenez e Marcelo Abrantes Linguitte]

Kop van Zuid,
projeto urbano de Riek Bakker
Foto de Rob 't Hart

DE ILHAVO

José Mateus ARX portugal

1. Spreebogen: o centro simbólico da metrópole

Este projeto foi executado em 1992, no âmbito do concurso internacional de idéias para o desenho urbano do Spreebogen. Tratava-se de repensar uma vasta área central de Berlim (62 hectares) – o Spreebogen – local de importância simbólica para a Alemanha e para o mundo. Ali estava implantado o Reichstag, antigo parlamento alemão incendiado por Hitler em 1933; por ali passavam os dois muros que configuravam um canal alongado e sinuoso, terra de ninguém, que separava as "duas Berlins".

O Spree, rio que atravessa a cidade, se viu cortado por pontes que ligavam as margens, como duas metades de uma mesma cidade que se separaram. Esta área agora residual entre a antiga Berlim Ocidental e o Centro Histórico localizado a leste, perdeu progressivamente o seu significado para a cidade e durante mais de 40 anos tornou-se um território central desprezado.

Pedia-se aos concorrentes que desenhassem uma espécie de Plano de Pormenor com a definição da natureza urbana: tipologias de espaços exteriores e edifícios; número de pisos em cada quarteirão; rede viária; paradas para transportes públicos; estação de metrô. O programa de concurso estabelecia que o poder político, entretanto instalado em Bonn, regressava a Berlim, ao Spreebogen. Edifícios do parlamento (Bundastag); Câmara dos 16 Estados (Bundesrat), a Chancelaria Federal e diversas outras valências passavam a instalar-se no local. O Hemiciclo do Parlamento ocuparia de novo o Reichstag.

Para além dos edifícios governamentais havia ainda a considerar edifícios do Clube da Imprensa Alemã; Conferência Federal da Imprensa; habitação; escritórios; equipamento cultural e lúdico e estações para transportes públicos.

Nas margens do Spree devia prever-se ancoradouros para embarcações de recreio e trabalho.

Para compreender a problemática do contexto necessitamos de recuar na história da cidade, com particular ênfase ao período que antecedeu a Segunda Guerra Mundial.

Spreebogen, Große Halle do mundo

As ambições expansionistas de Hitler cresceram desde cedo na sua mente e podiam antecipar-se através da sua idéia de cidade. Assim, não surpreende o fato de em 1937, ter encomendado a Albert Speer o plano para redesenhar Berlim como capital do império alemão. Este plano reservava uma importância transcendente para esta zona da cidade.

Um enorme eixo Norte-Sul cruzava uma vasta área da cidade, passava pelas Leipziger e Potsdamer Platz e terminava numa gigantesca praça neoclássica rematada pelo "Große Halle", edifício de 300m de lado com uma cúpula de 98m de altura. Deveria ser o maior edifício do mundo e localizava-se precisamente no Spreebogen.

A grande praça não era pensada à escala humana, mas para acomodar massas em parada militar: uma multidão de um milhão de indivíduos foi a referência. Ao longo deste eixo implantar-se-iam os edifícios governamentais e do partido único que, com outros edifícios de prestígio, compunham o cenário adequado para as manifestações de culto que celebravam a glória do Nacional Socialismo.

Neste cenário megalômano, o Reichstag tornava-se inesperadamente um edifício quase insignificante. Se o Reichstag foi profundamente destruído no culminar da guerra, já a destruição verificada no qualificado bairro Alsenviertel – situado junto à curva do Spree – ficou a dever-se ao início das demolições decretadas por Hitler para a construção do novo conjunto.

A própria curva do Spree seria ainda retificada no sentido de se iniciar a sua adaptação à construção do Große Halle.

Os efeitos do Muro

Com a construção do muro, o centro histórico e as áreas adjacentes onde se localizavam as obras mais emblemáticas de Schinkel situavam-se na zona oriental. O Spreebogen faz a transição entre aquela parte da cidade, densa e urbana, da quadrícula neoclássica da DorotheenStadt e o boulevard Tiergarten.

Museu Marítimo de Ílhavo, Portugal. Projeto ARX Portugal
Foto Daniel Malhão

No "coração central" do Spreebogen localizava-se o sofisticado bairro Alsenviertel, a Praça da República, o Reichstag e o Kongresshalle, edifício de exposições construído nos anos 50 pelos americanos. Daqui irradiavam eixos viários que sobre o Spree estabeleciam ligações com os bairros vizinhos: a noroeste, a Moltkebrücke ligava à Alt Moabit Straße; a norte, a Alsenviertelbrücke (demolida) bifurcava sobre a entrada no porto Humboldthafen (porto); a Nordeste, a Kronprinzenbrücke (demolida), bifurcava para ligar à Schumann Straße e à Reinardt Straße; por último, já dentro do território de Berlim Leste, a Marschallbrücke permitia à Otto Grotewohl Straße atravessar o Spree na direção Norte-Sul.

Nas áreas limítrofes da parte oriental sucedeu-se a construção de quarteirões compostos por edifícios "tristes" de arquitetura sem idéias, que refletiam o isolamento cultural da "Cortina de Ferro".

No lado Ocidental, o Tiergarten "desaguava" agora numa intransponível Brandenbourg e as áreas adjacentes ao muro tornaram-se áridas e inconseqüentes pelo corte artificial.

A norte do Spree, a estação de trens da Sbahn Leherter StadtBahnhof e o porto fluvial de Humboldt Hafen aguardavam uma reformulação que lhes restituisse a eficácia e importância no tecido urbano.

A progressiva desqualificação do próprio Spree já vinha do século anterior: o desenvolvimento do caminho-de-ferro e a conseqüente perda de influência do meio de transporte fluvial, tornou as margens pouco dinâmicas e pouco exploradas para fins lúdicos.

Lembro-me que quando visitei Berlim (1991), entramos clandestinamente – por uma grade semi-aberta – na estação de metrô desativada de Potsdamer Platz. O cenário era de algo que havia parado no tempo. As paredes ainda ostentavam inscrições nazistas.

Após a queda do muro havia que conciliar as realidades que nos anos de separação foram tomando forma dos dois lados, redefinir ligações viárias, tecido urbano e dar continuidade ao que foi artificialmente descontinuado.

Proposta

Bogen, em alemão, é o termo utilizado para designar curva ou arco. Spreebogen significa: "a curva do Spree". Este aspecto da geometria do rio assume um caráter particular neste local. Também aqui, o caminho de ferro de superfície Sbahn descreve uma curvatura como se subitamente fosse perturbada pela proximidade de figura semelhante do Spree.

O próprio Große Halle seria construído no centro dessa curvatura.

O desenho desta renovada área urbana deveria, no nosso entendimento, ser estruturado ou emergir a partir de particularidades ou lógicas deste local. Algumas das regras que estabelecemos eram facilmente perceptíveis a partir de uma análise do tecido urbano envolvente. Outras, estando mais ocultas, havia que torná-las presentes.

Registrou-se os principais eixos de estruturas urbanas ou edifícios envolventes.

Uma segunda malha, resulta da análise da estrutura urbana a leste, revelou uma malha urbana de tendência ortogonal que sobrepusemos ao terreno. A malha de oeste é traçada a partir da orientação da Stadt Galerie de Mies Van der Rohe.

Uma outra malha pode ser traçada a partir da figura do Reichstag, cujas dimensões se aproximam de um quarteirão.

Uma terceira malha, de caráter sinuoso, resulta das relações geométricas entre a curvatura do Spree e do Sbahn. No desenvolvimento deste traçado, o conceito de "um centro preciso" evolui para um princípio de centros diversos.

Com a deslocação do centro, procuramos iniciar o fundamento de um Centro mais difuso (plural), em oposição ao Centro único, localizado e impositivo, do Große Halle.

A sobreposição destes registros constrói uma malha de caráter específico, que emerge deste território, sobre a qual se estruturará o tecido urbano da nossa proposta.

Aceitou-se como premissa o gabarito imposto de 20 metros para a generalidade dos edifícios nesta área.

Espaços fluidos e dinâmicos

Onde se localizaria a praça do Große Halle reserva-se um espaço livre, como uma praça verde, configurado pelos edifícios governamentais. Neste novo centro permanece o antigo edifício da Embaixada Suíça, que encerra a importância simbólica de ser o único edifício "resistente" que não foi demolido por Hitler. Novas formas são desenhadas como se o sólido da embaixada fosse transportado no terreno de modo espontâneo ou casual. O conjunto agora formado, rasante ao terreno, funciona como um edifício de múltiplas funções: Estação de Metrô, Centro Cultural, Restauração e apoio a Eventos.

Contrariamente ao plano de Speer, este espaço central não é uma praça contentora, mas um espaço de múltiplos acessos, permeável, fluido, ligado às estruturas urbanas envolventes.

Dali irradiam ruas, caminhos de pedestres, pontes viárias e de pedestres que ligam as margens do Spree.

A reconfiguração dos limites do Spree e dos quarteirões adjacentes é desenhada, em grande medida, pela malha sinuosa. A paisagem fluvial passa a confundir-se com a estrutura urbana, vendo reforçado o seu papel estruturante no caráter morfológico e espacial do Spreebogen.

O Spree passa a estar disponível para o lazer. Ancoradouros, pequenas baías e plataformas em ilha poderiam animar este espaço fluvial.

Para lá do Spree, em direção a leste, a malha urbana densifica-se. Se perto do rio o tecido é fluido e parcialmente erodido por arcos imaginários da malha sinuosa, à medida que se afasta do rio os quarteirões procuram completar a Otto Grotewohl Straße e fazer uma transição natural para a malha do DorotheenStadt. Esta faixa que estava anteriormente vazia, entre muros, torna-se bairro.

Fora da zona entre muros, completando esta faixa leste, propunha-se a demolição de edifícios desqualificados dos anos 60-70. Pontualmente, pequenos edifícios antigos significativos são mantidos, incrustados na nova malha urbana, como memórias não apagadas de tempo que porali passou.

No lado oposto, a oeste, a estrutura urbana torna-se rarefeita, dilui-se e dá lugar a uma lógica de parque ou jardim que precede o Tiergarten. A Chancelaria Federal, espécie de edifício-ponte, de transição entre as duas margens do Spree, incorpora em sentido literal esse princípio de espaços ou corpos dinâmicos que ligam partes.

2. Alhos Vedros? Investidor privado: (des)qualificação urbana?

Em Portugal existem planos para a orla costeira, planos diretores municipais, planos de proteção de áreas históricas e diversos outros diplomas legais que estabelecem regras para a ocupação do solo nas povoações, na frente marítima e no território rural. Na maior parte dos casos, estes planos só foram executados, ou mais ou menos adequados à realidade, nos últimos 5-10 anos.

Contrariamente ao que deveria fazer-se, raramente as Câmaras Municipais – organismos que tutelam a organização do território – executam Planos de Pormenor que definam realmente volumetrias, espaço privado, espaço público, praças ou até mesmo passeios com dimensões aceitáveis.

Por outro lado, o investimento público na construção de bairros habitacionais é praticamente nulo. Para além das obras eleitoreiras de costume, as Câmaras Municipais, tal como os sucessivos governos centrais, investem sobretudo em edifícios singulares (há que salientar que a estes níveis a Câmara Municipal da Moita, que rege este território, é uma espécie de caso a parte, exemplar pelo lado positivo).

É assim compreensível porque razão em Portugal, quem constrói as cidades, e em última análise define o seu caráter, são os investidores privados. Independentemente das boas intenções que possam mover a atividade destas empresas, o que conta, é a maximização do lucro e por conseqüência, a contradição com as regras vigentes.

Existe ainda o paradoxo de que a população em geral, sendo muito ambiciosa com o tipo de carro que compra – e ostenta – não é particularmente exigente com a qualidade da sua casa, que é um investimento muito superior.

Um outro aspecto relevante é o de existir uma lei que permite que profissionais de outras áreas, sem formação superior de arquitetura, assinem projetos de arquitetura. Um pouco dentro da lógica que um veterinário serve perfeitamente para curar as mazelas de um ser humano.

Um estudo recente comprova aquilo que as evidências demonstram: o grupo profissional que mais assina projetos de arquitetura são... engenheiros de minas. Ou seja, profissionais dotados para operar no sub-solo, são ainda os grandes "protagonistas" da arquitetura (?) em Portugal. Diríamos nós que descobriram uma mina à superfície.

A estes profissionais, ou numa alternativa "excêntrica" a arquitetos de terceiro plano com aptidão de ilustradores, recorrem os promotores imobiliários para a execução dos projetos. A exceção verifica-se nos raríssimos investidores de maior envergadura ou prestígio que convidam arquitetos midiáticos. Neste contexto, entende-se porque existe muita Construção Civil em Portugal, e relativamente pouca Arquitetura.

No entanto, a responsabilidade deste "estado de coisas" também pode em boa parte atribuir-se aos arquitetos.

Regra geral, para os arquitetos, trabalhar com os investidores imobiliários é sinônimo de desqualificação.

O famoso arquiteto português Cassiano Branco, que nos anos 30-50 trabalhou intensamente com os construtores civis que investiram em Lisboa, foi profundamente criticado por "colaborar com os patos bravos". Apesar dos resultados serem bastante interessantes.

O projeto que estamos a fazer para Alhos Vedros é um caso significativo.

Fomos contratados por um industrial da cortiça – senhor Caiado – que possui diversas parcelas de terreno no pequeno centro histórico de Alhos Vedros, que tendo em vista a urbanização dessas parcelas, contatou a Câmara Municipal para obter recomendação de nomes de arquitetos para executar o projeto.

O senhor Caiado, tal como muitos investidores, trabalha com as referências que a sua vida lhe conferiu, mas sempre revelou alguma abertura – em intermináveis conversas que sempre terminavam para além da hora de jantar – a conceitos que eventualmente lhe eram estranhos.

Nas sessões de trabalho com o senhor Caiado burila-se o projeto, num processo de descoberta mútua. Em cada novo encontro o senhor Caiado familiariza-se aos poucos com lógicas de desenho que desconhecia e os arquitetos procuram a compatibilização entre as naturais ambições comerciais e o desejo de desenhar uma parcela de cidade de grande qualidade. Como investidor, o senhor Caiado também já percebeu que neste tempo, em que abunda a oferta de casas em Portugal, prevalece quem tiver para oferecer qualidades que escapam ao lugar comum.

Neste processo que tem sido lento, à persuasão dos arquitetos o senhor Caiado responde com a paciência oriental de quem, aparentemente, vai aceitando outros pontos de vista. Em cada novo encontro, este homem, com o enorme saber que acumulou ao longo dos anos neste tipo de trabalhos, foi desmontando argumentos dos arquitetos e reconsiderando matérias que pareciam encerradas.

Apesar de tudo, entre avanços e recuos, o saldo é de um projeto que incorpora os principais objetivos do senhor Caiado, reflete algumas concessões dos arquitetos, mas acaba por incorporar no seu "código genético" os princípios que nos pareceram mais relevantes.

Hoje pode ver-se também como mudou a percepção do senhor Caiado relativamente ao que pode ser um projeto ou uma parcela de cidade. Apesar dos seus 70 anos de idade, este homem tem vindo a sofrer uma transformação cultural. Os arquitetos, por sua vez, encaram como uma lição o saber e o comportamento do senhor Caiado.

Alhos Vedros

O projeto de Alhos Vedros, que serve de mote a estas reflexões, está em fase de aprovação da urbanização e seguem-se os projetos da arquitetura dos edifícios.

Alhos Vedros é uma pequena povoação banhada pelo rio Tejo, aproximadamente a 30km ao sul de Lisboa. Possui uma área de 1525 hectares e uma população de 12.614 habitantes em 2001.

Sabe-se que desde o século XIII as principais atividades da zona relacionavam-se com a recolha de lenha, agricultura, fabrico de cal e vidro, produção de sal e moagem de cereais. Com grande importância existiu a construção naval, e o transporte de cargas e pessoas entre esta margem do Tejo e Lisboa, na margem oposta.

O seu desenvolvimento econômico e urbano esteve sempre muito marcado pela presença do esteiro que existe a noroeste. O tecido urbano foi crescendo paralelo ao estreito braço de água, seguindo a estrutura de caminhos rurais existentes. Com a chegada do caminho-de-ferro, implantaram-se na zona indústrias corticeiras e os respectivos bairros operários.

A malha urbana foi assim ganhando uma forma fragmentada com quarteirões compostos por alguma habitação e as novas estruturas fabris, baseados em edifícios de um ou dois pisos.

A zona ribeirinha foi perdendo importância e o desenvolvimento da povoação passou a refletir o poder de atração da estação de caminhos-de-ferro.

A Igreja medieval de São Lourenço, a Igreja da Misericórdia (século XIV), o Pelourinho, o conjunto urbano constituído pelo moinho de maré, o Largo do Descarregador e o Palácio dos Condes de Sampayo são os elementos com relevância histórica que ainda subsistem.

Na atualidade, após a transferência das indústrias corticeiras para outros locais, geram-se espaços centrais desocupados que abrem a oportunidade de uma reformulação do tecido urbano.

Infelizmente, a reconstrução que se vai fazendo é baseada em arquiteturas pontuais de qualidade que deixa muito a desejar, com gabaritos mais altos que os edifícios antigos (quatro ou cinco pisos) e que não propõem nada de benéfico – consolidador/ reformulador – em termos urbanos.

É precisamente no núcleo histórico, confinando com uma praça aproximadamente triangular, que a área de intervenção se localiza: trata-se de um conjunto de unidades fabris da cortiça agora desativados.

O projeto

Os objetivos do senhor Caiado passam por construir um conjunto predominantemente habitacional, mas que integre áreas comerciais ao nível da rua. Os pressupostos definem ainda estacionamento subterrâneo e pequenas parcelas de jardim nas traseiras para uso privado.

Após um detalhado desenvolvimento de hipóteses alternativas, cujas morfologias resultaram de estudos analíticos do tecido urbano envolvente, chegamos ao desenho preliminar do conjunto urbano.

Procuramos incorporar as seguintes preocupações:

– Articular o centro histórico com as zonas mais periféricas, recentes e desqualificadas;

– Potenciar a consolidação do núcleo histórico;

– Constituir uma estrutura urbana contínua (em oposição à fragmentação crescente);

– Um conjunto lógico, legível, com espaços urbanos de caráter alternado (frente de rua em oposição a tecido antigo/ novo, espaço-canal novo, largo de pedestres);

– Riqueza espacial que, à semelhança do Largo da Misericórdia, possa vir a constituir referências urbanas de caráter coletivo;

– Frentes de rua permeáveis que dêem acesso ao interior do quarteirão onde existirá equipamento comercial, lúdico e espaços ajardinados.

Na abordagem a um projeto o primeiro gesto do arquiteto é porventura o traçar de uma linha sobre as plantas do contexto.

Neste caso, o esquema urbano final revela esse primeiro, mas essencial gesto. Configura-se como uma linha que se desenha sobre o tecido a reconstruir. Uma linha que incorpora ou é condicionada pelos pressupostos eleitos e possui um potencial transformador específico deste contexto.

Ao desenho urbano seguir-se-á o desenho dos edifícios um a um. Temos a firme convicção que este pedaço da povoação desenhado na totalidade pela ARX seria bastante aborrecido ou eventualmente monótono.

As cidades, independentemente dos planos, são construídas por pequenos impulsos. Este processo gradual, para além da insubstituível noção de tempo que incorpora, confere também a pluralidade – espessura – que desejamos aqui incluir.

Decidimos então convidar alguns arquitetos de grande reputação no nosso país, a desenhar lotes alternados da urbanização. Da atividade dos arquitetos convidados, que revelam entendimentos diferentes no modo de pensar um edifício, espera-se um conjunto polifacetado, heterogêneo.

Neste cenário, os lotes desenhados pela ARX serão como que elementos aglutinadores, quase anônimos, silenciosos.

3. Museu Marítimo de Ílhavo. Edifício público: recuperação urbana

Falar deste projeto envolve naturalmente referir dois aspectos essenciais:

O primeiro é de que efetivamente se tratou de uma reformulação e extensão de um edifício que já existia, construído com grande carinho e dedicação pelas gentes de Ílhavo, mas completamente inadequado para a instalação de um Museu.

O edifício foi construído nos anos 70 a partir de um projeto cujos desenhos de maior detalhe eram à escala 1/100, não possuía ar condicionado e infra-estruturas elétricas ou de segurança eficazes nem existia acesso de objetos aos vários pisos para além da porta principal. O edifício estava bastante degradado a ponto de existirem infiltrações de água em várias salas.

Numa primeira abordagem sugerimos a sua demolição. Tal não foi possível, pois a verba disponível para a construção, proveniente de fundos comunitários, era destinada a processos de recuperação e não para edifícios novos.

O segundo aspecto a considerar é a própria povoação de Ílhavo, que cresceu sempre ligada culturalmente às atividades da Ria e da pesca do bacalhau.

Ílhavo é uma cidade de estrutura urbana estranha que possui um núcleo central pequeno e pouco interessante. Daí irradiam circunstancialmente alguns arruamentos ao longo dos quais se foram implantando edifícios de arquiteturas pouco qualificadas.

O terreno de implantação do Museu situa-se fora do núcleo central, junto à estrada nacional, frente a uma avenida ainda sem seguimento, mas à qual o plano entretanto realizado destinou o papel de eixo estruturante de uma zona de expansão urbana.

Em redor deste terreno sucedem-se casas de habitação unifamiliar de naturezas díspares com os seus anexos, galinheiros, churrasqueiras e garagens, que constitui um cenário urbano ruidoso e bastante heterogêneo.

Em frente do Museu, do outro lado da rua, domina um "ousado" e policromado Centro de Saúde.

No acesso à rua do Museu foi recentemente construído um monumento alusivo à epopéia da pesca do bacalhau que por desejo da Câmara Municipal deveria ter alguma proeminência, de modo a fazer a devida justiça à tradição marítima local. Era prevista a sua implantação no lote do museu mas ainda conseguimos que o colocassem fora desse perímetro.

Poderíamos lamentar o fato da envolvente ser feia, como se de uma fatalidade se tratasse, mas interessou-nos a possibilidade de trabalhar com matérias dissonantes que quando justapostas pudessem contrariar a falta de consistência urbana.

A arquitetura do novo Museu encontra então os seus primeiros fundamentos no modo eventualmente complacente mas reativo como encara o seu contexto.

Sabíamos que a construção deste edifício, dada a sua importância e dimensão, continha o potencial de embrião de reformulação urbana. Entendemo-lo então como uma matéria nova que se insere de modo consolidador na estrutura urbana, criando referências nesta povoação que quase não as possui.

Entendemos ainda que o modo como se apresenta à rua deveria assumir uma sobriedade tectônica e formal, reservando a sua natureza mais expressiva ou livre para os espaços mais privados, onde a capacidade de invenção sempre recorre às nossas memórias ou referências, que de um modo claro ou mais subtil ajudam a configurar o todo.

A paleta de materiais utilizados: reboco branco; zinco cinzento e ardósia preta foi-nos sugerida, pelas próprias necessidades de um projeto museográfico. São materiais e cores que nos asseguram potencial cenográfico ativo/ neutro num registro sóbrio.

Na reformulação formal do edifício estendemos a sua frente de modo a sobrepor parcialmente um muro negro à moradia vizinha. A forma em "L" possibilita o fecho do pátio interior que antes era vandalizado à noite por empenhados artistas grafiteiros. Este pátio é então delimitado pelo edifício e por um muro de ardósia negra que cobre, como uma "faixa" unificadora, os muros das diversas casas vizinhas que deste modo passam a estar enquadradas e assimiladas.

O espaço urbano frente à entrada do museu foi recaracterizado num trabalho conjunto com o arquiteto João Gomes da Silva. O desenho tira partido da defasagem de cotas entre a rua e o interior produzindo uma ilusória oscilação tectônica do terreno. Para esse efeito construiu-se faixas ou caixas em aço corten contendo areia e conchas – matérias que se encontram nestes solos característicos junto à ria.

A escala desta praça, adequada ao caráter institucional do edifício prolonga-se em passeios laterais que terminam no final do lote já que frente às casas seguintes, a inexistência de passeios, obriga os transeuntes a disputar a estrada com os automóveis.

O edifício pré-existente foi completamente diluído nesta nova realidade. Dele, só podemos hoje encontrar alguns vestígios.

[Debate 08, Fundação Bienal, 18 de setembro de 2003. Debatedores: Antonio Carlos Barossi e Marco do Valle]

Museu Marítimo de Ílhavo, Portugal. Projeto ARX Portugal
Foto Daniel Malhão

Filomena Russo Foster and Partners

A arquitetura do futuro será, por necessidade, aquela que considere a questão da progressiva crise ecológica mundial. A arquitetura pode contribuir com o gerenciamento desta crise em proporções que poucas outras profissões poderiam. Edifícios utilizam a metade da energia consumida no mundo desenvolvido; quantos edifícios poderiam ser projetados de maneira a operar com uma fração da energia utilizada atualmente?

Por que utilizamos tanta iluminação artificial quando poderíamos projetar edifícios que são repletos de luz natural? Por que continuamos a utilizar ar condicionado quando poderíamos simplesmente abrir uma janela? Uma abordagem holística da arquitetura – que interpreta os edifícios como sendo a soma de todos os sistemas que formam estes edifícios – pode ser o princípio da solução dos nossos problemas. Estrutura, forma e materiais de cada elemento têm o seu papel. Iluminação natural e ventilação, água reciclada, reciclagem do calor gerado por iluminação, computadores e usuários, por exemplo, podem contribuir para a redução da demanda de energia em um edifício.

Um edifício não pode ser considerado isoladamente. Edifícios precisam estar inseridos no contexto de cidades que não param de se expandir, assim como as suas infra-estruturas. Expansão urbana descontrolada, sem planejamento é um dos problemas que o mundo enfrenta atualmente. Raramente a expansão na periferia das cidades é integrada com a expansão das redes de transporte público e serviços. A população é forçada a viajar de carro em distâncias cada vez maiores, aumentando congestionamento e poluição.

Densidades urbanas mais altas podem oferecer uma solução para estes problemas. É surpreendente descobrir que duas das mais densas regiões do mundo, Mônaco e Macau, representam os dois extremos do espectro econômico. Alta densidade – ou edifícios altos – não significa automaticamente *superpopulação* ou dificuldades econômicas; poderiam também contribuir para uma melhoria da qualidade de vida, onde habitação, trabalho e lazer pudessem estar próximos.

Não existem barreiras tecnológicas para uma arquitetura sustentável, porém existem as barreiras da vontade política. A arquitetura do futuro poderia ser a arquitetura de hoje.

Sede da Greater London Authority (GLA). Londres, Inglaterra 1998/2002

A sede do GLA é um dos novos projetos na capital e simbolicamente dos mais importantes. O novo edifício se propõe a expressar a transparência do processo democrático e demonstrar o potencial de um edifício público para com uma arquitetura sustentável e quase que totalmente não poluente.

A sede ocupa um terreno de localização proeminente às margens do Rio Tâmisa, ao lado da *Tower Bridge*. Inclui a Câmara da Assembléia, escritórios dos comitês e instalações de acesso público, assim como escritórios do Prefeito, dos membros da Câmara, dos membros do gabinete do Prefeito e seus funcionários, totalizando 12 mil m2, distribuídos em 10 andares.

A Câmara da Assembléia está voltada para o norte e para a *Tower of London* na margem oposta do rio; com o seu envelope envidraçado permite que os cidadãos possam observar as atividades da Assembléia. Representantes da população são convidados a participar do uso do edifício: um espaço de uso flexível localizado no ultimo andar – *a sala de visitas de Londres* – pode ser utilizado para exposições ou eventos, e o público tem domínio do topo do edifício, onde um terraço oferece vistas de Londres incomparáveis. Na base, encontra-se uma praça com um café, de onde se aproveita a proximidade com a margem do rio. Elevadores e rampas permitem acesso indiscriminado através do edifício.

O edifício foi projetado de maneira a não ter *frente e fundo* em termos convencionais. A sua forma é derivada de uma esfera modificada geometricamente, desenvolvida através da utilização de técnicas de modelação por computador.

Esta forma alcança uma *performance* de energia otimizada pela redução da superfície diretamente exposta aos raios solares. Através da analise da trajetória solar durante o periodo de um ano produziu-se um mapa térmico da superfície externa do edifício, que por sua vez foi aplicado na escolha dos materiais utilizados no envelope externo.

Prefeitura de Londres, vista geral do Rio Tâmisa. Foster and Partners
Foto Nigel Young

Uma série de elementos de sombreamento passiva e ativa foi empregada, na face sul a forma do edifico é inclinada de maneira que os pisos inferiores são recuados em relação aos pisos superiores proporcionando sombreamento para os escritórios que possuem ventilação natural. O sistema de ventilação de ar frio utiliza água bombeada de poços subterrâneos. Entre outras, essas técnicas de economizar energia significam que refrigeração não é necessária, como também durante a maior parte do ano, o edifício não necessita de aquecimento adicional. Em resumo, o edifício somente utiliza um quarto da energia consumida por um edifício típico de escritórios com ar condicionado.

O edifício está localizado dentro da área do *Southwark Riverside Masterplan*, que cobre 5.5 hectares entre *London Bridge e Tower Bridge*. O escritório está projetando os nove edifícios neste empreendimento comercial, que se trata do maior deste tipo em Londres nos últimos 15 anos. O plano geral da área estabelece uma malha urbana incluindo duas praças públicas, estabelecimentos comerciais, restaurantes, cafés e um hotel. Inclui também cinco edifícios de escritório, totalizando 93 mil m2 de construção de alta qualidade.

Sede da Swiss Re, 30 St Mary Axe.
Londres, Inglaterra 2001 (em construção)

30 St Mary Axe está localizado no terreno da antiga *Baltic Exchange*, na "city" de Londres. Com uma forma única, a torre de 40 andares vai se juntar ao grupo de edifícios altos que simboliza o centro financeiro de Londres. Será o primeiro edifício alto localizado na capital que tenta contribuir com o meio ambiente de uma maneira progressista. *30 St Mary Axe* não é somente um edifício de escritórios, como também ao nível da rua, será acessível ao público com uma área de uso comercial num volume de pé direito duplo servindo à comunidade local. O edifício está implantado no centro de uma nova praça pública.

No topo do edifício serão localizadas áreas de refeição e eventos para os ocupantes do edifício e seus convidados.Logo abaixo do domo envidraçado, um restaurante oferece vistas espetaculares em direção ao oeste da cidade. Do mezanino do restaurante – um bar com espaço para eventos e apresentações – tem-se uma vista panorâmica da cidade de 360 graus. O edifício é radical nos seus aspectos técnicos, arquitetônicos, sociais e espaciais. Externamente ou internamente, o edifício não se compara a nenhum edifício de escritório jamais construído.

A torre tem uma planta circular que aumenta progressivamente começando pela base em direção aos andares intermediários e diminui na medida em que se aproxima do topo. Esta forma é uma resposta para o tamanho pequeno do terreno. O edifício parece menos volumoso que um edifício convencional retangular que tenha uma área de piso equivalente; a reduzida base do edifício minimiza a reflexão, aumentando a transparência e a quantidade de luz natural que penetra na sua base. Os pisos localizados na área do meio da torre apresentam as áreas mais generosas para escritórios, a redução de área no topo da torre minimiza a quantidade de céu refletido.

A forma aerodinâmica induz o movimento de ar ao redor da superfície, minimizado a força do vento na estrutura e no envelope externo, criando a oportunidade para a utilização de uma estrutura mais eficiente. O vento não é desviado para o piso térreo – como ocorreria com edifícios retilíneos – ajudando a manter o conforto de pedestres na base do edifício. Testes em túnel de vento demonstraram que o edifício contribui para melhorar as condições do vento em seus arredores. O movimento natural do ar em torno do edifício gera, na sua superfície, grandes diferenças em pressão, que pode ser utilizado para facilitar a ventilação natural dele.

30 St Mary Axe utiliza-se de ventilação natural e ar condicionado, de maneira que durante 40% do ano a ventilação mecânica pode ser complementada pela ventilação natural, reduzindo o consumo de energia e emissões de gás carbônico. Ar fresco pode ser extraído através do átrio, que tem forma de espiral, proporcionando ventilação natural para os escritórios. A aerodinâmica da forma do edifício gera pressões diferenciais na fachada que auxilia esse fluxo natural de ar.

O átrio aumenta a quantidade de luz natural que penetra nas áreas de escritório, portanto reduz a necessidade de utilização da luz artificial. Eles também ajudam a reduzir a extensão dos pisos e, externamente, trazem variedade e vida para a fachada. Os balcões no perímetro de cada átrio proporcionam conexões visuais entre os andares como também um foco natural para os espaços de uso comum em áreas para descanso, café, copiadoras, arquivos e áreas de reuniões informais.

Se o edifício ocupasse a totalidade do terreno, resultaria em ruas muito estreitas. Em vez disso, o edifício tem um planta circular no pavimento térreo que é relativamente pequena, criando a oportunidade para que o espaço em torno tenha paisagismo, permitindo o uso pelo público e de forma a melhorar as condições do ambiente onde o edifício é inserido. A nova praça é contida entre duas paredes baixas de pedra, que definem a divisa histórica do terreno e atuam como elementos de mobiliário urbano. Materiais de alta qualidade incluindo pedra natural, aço inox e alumínio são utilizados. Árvores formam uma parte integral do espaço de domínio público.

A estrutura da torre de 180 metros de altura é muito eficiente consistindo de um elemento estrutural central e uma malha diagonal periférica – uma malha de elementos de aço interligados. Estrutura central em edifícios tradicionais desta altura seria utilizada como um meio de obter a necessária estabilidade estrutural lateral. Por causa da rigidez inerente da malha diagonal externa, a estrutura central somente precisa sustentar o peso dos componentes sem a necessidade de travamento diagonal, produzindo plantas mais flexíveis.

O envelope envidraçado do edifício permite aos usuários um maior contato com o exterior e os benefícios da luz natural. O sistema de caixilhos das áreas de escritório é composto de duas camadas de vidro com uma cavidade ventilada pelo ar extraído dos escritórios. Isso permite que a radiação solar seja interceptada antes que atinja as áreas de escritórios contribuindo para reduzir a quantidade de ar condicionado necessária. A caixilharia externa dos átrios consiste de painéis de vidro duplo, fixos e móveis, incluindo vidro colorido com aplicação de uma camada de alta performance de maneira a reduzir a penetração da radiação solar.

[Debate 09, Fundação Bienal, 19 de setembro de 2003. Debatedores: Paulo Bruna e Milton Braga]

Regina Maria Prosperi Meyer

A articulação entre *metrópole e projeto urbano* assumiu ao longo do século XX uma tal complexidade que a sua realização tem sido, quase sempre, uma longa enumeração de recomendações a serem realizadas por um exército de técnicos e profissionais liberais pautados por planos e projetos cuja meta é apenas melhorar o desempenho da metrópole. A evidente insuficiência dessa postura tem sido pouco avaliada. Na verdade os conteúdos dos dois termos dessa conjugação tornaram-se tão específicos, cada um deles isolado nas suas próprias questões, que as possibilidades de articulá-los parecem diminuir no momento em que se tornaram mais fundamentais para a plena realização da vida urbana.

As *metrópoles* estão agregando novas qualificações – dispersas, fragmentadas, duais, descontínuas, difusas e etc. – enquanto, o *projeto urbano* oscila, cada vez mais, entre um planejamento urbano afogado nas exigências dos planos tecnocráticos e o projeto arquitetônico submetido às determinações que a abrangência de novos programas e das novas escalas de inserção urbana estão impondo ao edifício. Esses encaminhamentos concomitantes acabaram por distanciar a *metrópole* e o *projeto urbano* de tal forma que a proposta de articulação assume um ar de inócuo exercício acadêmico. É exatamente esse descrédito que alimenta o desafio de propor novos caminhos para examinar algumas alternativas teóricas e práticas para projeto urbano metropolitano.

Vale lembrar que do ponto de vista de seus atributos físicos, espaciais e funcionais a metrópole moderna instalou-se a partir de uma sucessiva superação de estágios urbanos. Assim, do povoado passando pela cidade até alcançar a metrópole, o ciclo traduz a contínua necessidade de exercer de forma plena as suas funções de "lugar de centralização" das relações da sociedade, desde as manifestações artísticas até da inovação técnica. A natureza aparentemente "inegociável" e, muitas vezes, violenta desse processo de desenvolvimento urbano, denominado *metropolização*, se exprime de forma clara na dimensão material que o espaço urbano metropolitano foi, historicamente, incorporando. Em função dessa característica, tudo aquilo que "ganha corpo" na vida metropolitana acaba por exprimir as relações estabelecidas em todas as esferas da vida social e produtiva e converte-se em *expressão* dessas relações[1]. Vista nessa chave, a metrópole é, acima de tudo, um poderoso agente das transformações que operam no interior do próprio sistema de transformações impostas pelo capitalismo contemporâneo. Essa característica do processo de transformação está no centro de um conflito, de grande interesse, que nasce a conjugação entre a *metrópole* e o *projeto urbano*. É preciso lembrar ainda que desde a sua origem o urbanismo viveu submetido às exigências e expectativas impostas pela relação subalterna que esse manteve, na maior parte de suas experiências e propostas, com a cidade industrial. Um exame da história do urbanismo e do projeto urbano ilustra todas as vertentes de pensamento e ação que esse encaminhamento criou.

Por exemplo, a "grande toalha branca" com a qual Le Corbusier propunha encobrir as "cidades sem qualidade" nasceu de sua convicção que nenhuma das cidades existentes oferecia qualquer tipo de cultura urbana, de modelo de organização, de informação material, de arranjos espaciais e funcionais ou de modo de vida, a partir dos quais os novos arquitetos modernistas poderiam discernir formas ou uso de espaços capazes de alimentar seus projetos. A "tábula rasa" foi, em sua essência, a condenação e a rejeição da *cidade existente* em nome de uma nova ordem, plena de qualidades, na qual se evidenciaria a irracionalidade das formas presentes e a necessidade de criar cidades racionais, o que equivalia dizer: cidades saudáveis, belas e igualitárias.

Apresentada dessa forma, a tarefa dos urbanistas não era apenas enfrentar as desafiadoras metrópoles, mas "construir um programa de ação" capaz de gerar, *ex-novo*, sistemas urbanos equilibrados que garantissem o desenvolvimento pleno da sociedade da era industrial. O percurso desta empresa histórica foi a fundação e o desenvolvimento do Movimento Moderno do qual somos, no Brasil, herdeiros em linha direta. A sua crise, a partir dos anos 60, é de certa forma a nossa própria crise, isto é, o dilema de promover a continuidade ou estimular a ruptura do pensamento e da prática oriundas dos princípios modernistas no nosso país. E, é também, em grande parte, o aprofundamento do dilema que opõe *utopia urbana*, que

Vista aérea de Heliópolis, São Paulo
Foto Nelson Kon

algumas vezes assume a forma de um certo *voluntarismo propositivo*, e as propostas pautadas num simplificado e burocrático atendimento de demandas.

A partir dos anos 50 a disposição de estabelecer o controle sobre o crescimento urbano ocupou o centro do pensamento e das políticas públicas. Um grande arsenal de proposições tentou equacionar as questões associadas à metrópole. O urbanismo, que a partir daquele momento, começava a dividir espaço com o *planejamento urbano* mergulhou na *ideologia da ordem* que através de novas lógicas para o desenvolvimento urbano acabaram por se tornar, elas mesmas, parte dos problemas que as cidades passavam a exibir dali para frente. Em alguns casos, as propostas não só não amenizaram os problemas existentes como foram gradualmente colaborando para a ampliação do quadro de problemas vividos pelas metrópoles contemporâneas.

Os resultados são inequívocos. Após decênios de infrutífero trabalho as metrópoles corporificam a vitória do crescimento irrestrito derrotando todas as formas de contenção e controle. A constatação das limitações das ações de controle, da fragilidade da chamada *ideologia da ordem*, foi inevitável. É claro para todos que trabalham com as questões urbanas que a compreensão das razões desse malogro beneficiará as análises que buscam abrir novos caminhos para a experimentação urbanistica. Essa busca é crucial para a reorganização do campo teórico e, conseqüentemente, da prática do urbanismo contemporâneo.

Um conjunto de novas abordagens está gerando uma nova postura diante do *projeto urbano* que é reconhecida como *intervenção na cidade existente*. Intervir na *cidade existente* é a forma de ação – análise, projeto e implementação – fortemente condicionada pelo espaço existente e seus condicionantes, isto é, pelos padrões de ocupação e construção resultantes da experiência territorial e histórica da implantação e do desenvolvimento das metrópoles contemporâneas. A adoção dessa postura é repleta de exigências que devem ser cuidadosamente consideradas. De saída é importante não confundir tal postura com as propostas *contextualistas*. Não se trata de apreender do espaço existente a referência para a ação, mas de analisá-lo como um campo de informação sobre a possibilidade de realização da proposta.

A constatação que o urbanismo atravessou o século XX buscando equilibrar um organismo socialmente construído – a metrópole – cuja principal característica é a superação de todos os limites, levou o pensamento e a ação urbanística a uma encruzilhada. Nas quatro últimas décadas através de análises e propostas que pretendiam fazer face aos problemas metropolitanos, os urbanistas, envolvidos em uma razoável interdisciplinaridade, têm procurado criar novos métodos de análise e projeto para responder às questões que se apresentam. A dificuldade de domar os problemas, sobretudo aqueles mais identificados com o seu papel de agente do desenvolvimento, que não aceita, sob pena de perder sua razão de ser, sua essência de produto do capitalismo industrial, o equilíbrio que a lógica do plano controlador tenta lhe impor[2], está desafiando o *projeto urbano* a criar novas estratégias de ação e novos modelos de reflexão.

À primeira vista, é possível pensar que a derrota diante da "desordem urbana" das grandes metrópoles não arrefeceu o ânimo dos urbanistas contemporâneos. Pois, um grande esforço está presente nas diversas frentes de trabalho: buscando um uso mais eficiente da terra urbana; tentando oferecer conteúdo urbano aos precários espaços construídos nas periferias; neutralizando o conteúdo antiurbano que os grandes sistemas de mobilidade criaram nos tecidos urbanos existentes; revendo as relações predatórias com o ambiente natural; enfatizando a importância da reconquista do espaço público que é vista como a chave da urbanidade perdida, enfim, um imenso rol de ações, inteiramente conscientes de seus limites e limitações, se apresentam como formas mitigadoras da desordem.

Papel das dinâmicas de transformação no projeto urbano metropolitano

Nessa primeira década do século 21, a sociedade paulistana demonstra, de forma muito dura, sua relação com as questões urbanas. Se hoje os 8.000 km^2 de área metropolitana surgem aos nossos olhos como um exemplo de voracidade do capital, de desordem e de desgoverno, não se deve deduzir que esse resultado seja fruto de pouca reflexão ou da ausência de proposições urbanísticas. A história do urbanismo paulistano atesta que houve empenho profissional. Houve, até mesmo, grande e rica disputa em torno de pontos de vistas opostos. Mas, houve também, acima de tudo, uma opção por formas de atuação onde prevaleceu um acentuado *laissez faire* urbano. Esse caminho, que se revelou um descaminho, é justificado pelos seus responsáveis como uma "resposta" às proposições pouco realistas dos urbanistas paulistanos. O conhecimento acumulado através de inúmeros estudos e trabalhos acadêmicos torna essa argumentação inconsistente.

É reconhecido que o amadurecimento metodológico de uma disciplina só pode ser medido, avaliado, pela sua capacidade de instituir o seu próprio sistema de investigação, de propor com clareza as suas questões. Assim, a metodologia proposta para examinar a atual etapa do desenvolvimento metropolitano, tendo em vista a necessidade do urbanismo de trabalhar propositivamente, baseia-se na observação das próprias dinâmicas de transformação instaladas no território metropolitano. A meta não é apenas construir uma pauta de questões capazes de conduzir o *projeto urbano* cujo ponto de partida não é mais circunscrever áreas, criar perímetros de ação baseados em tipologias ou morfologias que apontam homogeneidade ou continuidade urbana. Mas, sobretudo criar novos parâmetros para um trabalho de projeto urbano.

A proposta aqui defendida é a de criar através de análise e identificação de dinâmicas urbanas que já presentes e impulsionando as transformações formais e funcionais, trechos urbanos passíveis de se tornarem unidades de projeto. Nesse sentido, o reconhecimento das dinâmicas urbanas instaladas nos diferentes setores da metrópole não pode ser vista apenas como um diagnóstico do setor, pois oferece um ponto de partida para a proposta que deve ser encarado como um dado de projeto. As dinâmicas apontam para transformações já instaladas no território metropolitano sem o amparo de um plano ou de um projeto urbano. Dessa forma, o projeto tanto terá como tarefa incentivar como buscar corrigir processos em andamento. No caso da dinâmica detectada conter uma potencialidade de transformação positiva o projeto é indispensável e terá o caráter descrito pelo urbanista espanhol Manuel Hece Vallejo[3] como "urbanismo de oportunidade".

O caráter ativo das dinâmicas que atuam nesses trechos não aconselharia uma rígida demarcação de perímetros de ação, com uma fixação de áreas precisamente definidas a serem submetidas a projetos de intervenção. No entanto, sem essa definição que deve nascer de análises bem equacionadas, onde se articulam outros aspectos fundamentais dos processos de renovação do território urbano, não é possível elaborar uma proposta e muito menos encaminhar sua realização. Assim, a definição do perímetro será feita em dois ou mais níveis de projeto. E, é importante não confundir esses níveis com escalas de trabalho. Pois, tal perímetro tanto poderá se centrar numa proposta de projeto polarizador, forte, com capacidade de gerar e induzir as transformações positivas, como numa proposta mais diluída, isto é, menos enfática, na qual os diversos elementos concorrem para a criação de qualidade urbana.

Proponho aqui discutir algumas dinâmicas que estão atuando em trechos precisos do território metropolitano de São Paulo. A ordem de exposição é aleatória na medida em que há uma concomitância absoluta entre as dinâmicas urbanas que são aqui apresentadas[4].

Impacto da reorganização dos grandes sistemas de mobilidade e acessibilidade metropolitana

As intervenções urbanas de uma forma geral e, em particular as que ocorrem na escala metropolitana, associada à mobilidade e à acessibilidade, são por definição, sistêmicas, abrangentes, comandadas pelo poder público e de realização onerosa. Correspondem a um efetivo desenvolvimento urbano na medida em que são propostas que visam ampliar e diversificar a oferta de mobilidade no território metropolitano. Geram impactos na organização urbana, funcional e espacial, nas escalas local, metropolitana e regional, sobretudo sobre os tecidos urbanos consolidados.

Hoje em São Paulo o principal desafio dos projetos e ações do setor de transporte de massa e mobilidade é garantir o funcionamento da máquina metropolitana em todos os seus distintos setores. Pois, assim como ocorreu na constituição da metrópole no início do processo de industrialização, a remoção dos limites físicos permanece um atributo fundamental da sua organização. No entanto, não se trata mais da urbanização ilimitada, da busca permanente de novas terras periféricas e distantes. A expansão do território metropolitano que rege os planos e projetos de mobilidade e transporte neste momento é a articulação desta mancha urbana construída a partir dos pressupostos da expansão. Não se trata mais de atender, de forma tentacular e pontual, a demanda de transporte, mobilidade e acessibilidade, em toda mancha. Esta demanda foi atendida, embora de maneira insuficiente, pelo sistema de ônibus ao longo dos últimos 50 anos. Este sistema propiciou a grande expansão da mancha muita além dos limites toleráveis.

A rede centrifuga de linhas de ônibus, associada de forma insuficiente aos demais modos de transportes, comandou o crescimento metropolitano até o início dos anos 80, quando as questões começaram a delinear-se de outra forma. Uma das características mais fortes da nova etapa que se instala em São Paulo é a distribuição das atividades da sociedade no interior do território metropolitano. Já está bastante claro que sem uma reflexão da especificidade da atual organização em andamento, onde a *escala metropolitana* tem sido vista apenas como *superfície*, nada se acrescenta à compreensão do novo organismo e, menos ainda, à avaliação dos impactos dos grandes projetos associados à mobilidade. Portanto, é necessário apontar com precisão o funcionamento da engrenagem metropolitana. Lembrando também que não está em jogo apenas a substituição das formas convencionais da atividade industrial por novas modalidades de serviços, mas algo bem mais complexo, isto é, a ampliação das atribuições da metrópole no interior do novo estágio da economia nacional e internacional contando com uma organização urbana que congregue os novos padrões industriais, agora subsidiários dos serviços, e os serviços, propriamente ditos.

Organização dos pólos de mobilidade metropolitana

Os pólos de mobilidade metropolitana são localizações urbanas precisas distribuídas no território metropolitano nos quais articulam-se as funções urbanas locais e metropolitanas associadas ao transporte público de massa. Derivam diretamente das características assumidas pela forma de crescente complexidade do funcionamento do território metropolitano sob a influência de dinâmicas urbanas que geram as duas características mais evidentes da fase atual: a *dispersão* funcional e a *descontinuidade* territorial. A emergência de um *pólo metropolitano* está intimamente associada a dois aspectos relacionados com o transporte público de massa: à presença de todos os modos de transporte público e, à garantia de uma articulação funcional e territorial de escala metropolitana. Neste sentido, o *pólo de mobilidade metropolitana* se distingue de outras formas de agregação de funções e de coesão territorial, pois é hoje o antídoto para a dispersão funcional e descontinuidade territorial discutida em capítulos precedentes.

Os *pólos metropolitanos* ganham, no interior do novo padrão de organização das funções e atividades no território, um papel decisivo na estruturação do território metropolitano, sobretudo pela capacidade de ampliar a mobilidade e criar acesso em todos os seus setores. Como não é o caso neste momento, como já ocorreu em outros momentos do processo de metropolização, de expandir a área metropolitana, pois a questão é adaptar e articular o território existente, criando as condições para a instalação do novo "paradigma metropolitano", a *mobilidade* é a função urbana com maior potencial de agregar e relacionar setores urbanos segregados do ponto de vista social, dispersos do ponto de vista funcional e, descontínuos do ponto de vista espacial.

Impasse das instalações industriais

É patente que as transformações introduzidas na forma de produção industrial tem efeito direto sobre os sistemas funcionais urbanos em suas diferentes escalas. Um de seus mais conhecidos aspectos relaciona-se à chegada da indústria de alta tecnologia com base na microeletrônica e baseada na comunicação informacional que criou uma nova lógica para a localização industrial. A essência deste novo padrão de urbanização, denominado genericamente "novo espaço industrial", tornou-se uma das mais fortes características do território metropolitano na sua fase atual. Em alguns países desenvolvidos a nova localização industrial correspondeu à flexibilização produtiva possibilitada pelos novos meios de comunicação e produziu um esvaziamento considerável de setores industriais urbanos. Algumas metrópoles criaram políticas públicas para enfrentar os problemas decorrentes e, ao mesmo tempo, para aproveitar as oportunidades de reestruturação de setores urbanos da metrópole que este processo cria.

A ocupação industrial que pela sua escala deverá ser objeto de atenção está situada ao longo dos bairros cortados pelas linhas ferroviárias e pelos eixos rodoviários que acompanhou o processo de construção da metrópole, induzindo a sua expansão territorial e o seu adensamento populacional. A localização estratégica da atividade industrial desde o início do processo que garantiu a acessibilidade e facilitou o escoamento da produção produziu espaços industriais muito diversificados. Tanto o tipo de indústria quanto o seu estágio tecnológico no momento da implantação criou inserções urbanas bem específicas que hoje, quando um novo ciclo urbano se organiza tornam-se bastante evidentes. A relação das pequenas manufaturas associadas ao primeiro ciclo industrial com a estrutura urbana quando ainda não havia nenhuma regulamentação para as atividades industriais, é muito distinta daquelas que se instalaram no momento decisivo da industrialização paulista e cujo porte as obrigava a buscar grandes glebas situadas em áreas estratégicas com já vimos antes.

A questão da transformação de uso das áreas industriais é um tema fundamental para as análises do *projeto urbano* metropolitano. Estas áreas surgem em todas as análises como um importante legado territorial do período industrial. Tanto pela sua extensão e localização na malha urbana, que tanto poderá suprir o setor habitacional de glebas e lotes já plenamente equipados de infraestrutura, quanto pelo próprio encaminhamento do atual modelo de desenvolvimento metropolitano. A grande gama de possibilidades de uso que tais áreas oferecem não deve obscurecer o fato que as metrópoles devem considerar a tendência de movimentos de renovação da indústria dentro de novos padrões tecnológicos, e de novas escalas produtivas.

A revisão do zoneamento industrial, das denominadas Z6 do município de São Paulo, não deve deixar de considerar este aspecto do processo de transformação da atividade industrial. E, por isso mesmo, o poder público não pode abdicar de sua função de conduzir o processo de reorganização destes setores. A simples flexibilização de normas municipais parece insuficiente para o encaminhamento desta importante transformação metropolitana. Portanto, é muito importante que o poder público assuma um novo papel, regulador, propositivo e gestor destas áreas cujo dinamismo é intenso e nem sempre propicio para o desenvolvimento metropolitano.

Deslocamento das funções centrais e a constituição das novas centralidades

O deslocamento das *funções centrais*, isto é, das funções urbanas que se tornaram características da área central, iniciado, de acordo com alguns parâmetros, nos anos 50, teve importante repercussão no próprio Centro assim como fora dele. Houve, sem dúvida, a partir daquele momento uma reorganização descentralizada de funções centrais que partiram para os bairros do município de São Paulo e para as emergentes áreas centrais dos municípios vizinhos. Foi um processo natural impulsionado pela metropolização que pode ser considerado positivo na medida em que atendeu à ampliação da complexidade da vida urbana na metrópole. As repercussões urbanas deste processo no município de São Paulo foram significativas, pois através delas foram criados ou consolidados os *centros de bairro*. O desdobramento desta dinâmica nos municípios metropolitanos foi fundamental para a estruturação metropolitana.

Entretanto, o que é aqui apontado possui características específicas, é parte de uma outra dinâmica que se tornou mais evidente a partir dos anos 80. Tem origem e desenvolvimento bem distinto da descentralização funcional descrita no parágrafo acima. Trata-se agora de um deslocamento de funções centrais com duas características essenciais. Por um lado aponta para uma dispersão de funções tradicionais do Centro para novos setores urbanos que não podem ser identificados como *centros bairros*, pois a chegada das novas funções não corresponde à emergência de uma centralidade complementar ao Centro. Pelo contrário, trata-se mais precisamente, de uma alternativa de localização do investimento imobiliário que até então tinha no Centro o seu *lócus* preferencial. Correspondeu claramente, desde a sua origem, a um deslocamento do capital imobiliário no interior do município da capital.

Analisado deste ângulo, o deslocamento das funções centrais não corresponde a um processo de desenvolvimento urbano propriamente dito, mas apenas a um movimento baseado em interesses especulativos. O eixo de movimentação das atividades centrais rumo a estes novos espaços, dirigiu-se no final dos anos 50 e durante a década de 60 para região da avenida Paulista, e caminhou na década de 70 para o sudoeste, consolidando novos setores, tais como, a avenida

Faria Lima, a região do Itaim, alcançando as avenidas marginais ao rio Pinheiros, as regiões das avenidas Luiz Carlos Berrini e Verbo Divino, nos anos 80 e 90. Esta cronologia é obviamente relativa, pois o processo foi, sobretudo nos anos 70 e 80, concomitante.

A migração das *funções centrais* para estes novos nichos é um fato importante na organização funcional do município de São Paulo, sendo também um dado indispensável para a análise da reestruturação metropolitana atual. Embora, a origem e o desenvolvimento deste processo seja muito anterior aos anos 80, é a partir da conjuntura daquela década que o processo de explicita. A marcha das atividades centrais e do capital imobiliário rumo ao sudoeste do município de São Paulo, tem sido objeto de trabalhos acadêmicos e institucionais. Alguns autores apontaram o percurso desenvolvido pelas *funções centrais* como o resultado de um forte tropismo exercido pelo estabelecimento de grupos de elite que já haviam ocupado os bairros residenciais da região desde os anos 50. Trata-se, em alguns casos, de uma hipótese correta e amparada em dados que a confirmam. No entanto, apesar do curso deste deslocamento ter permanecido fiel ao eixo centro-sudoeste do município, ao longo de cinco décadas, há distinções intrínsecas a cada um dos deslocamentos. Cada um dos espaços, gradualmente conquistados, corresponde a movimentações e interesses precisos do capital imobiliário. Os vultosos investimentos do poder público nas décadas de 80 e 90 na infra-estrutura viária deste setor, sobretudo através da construção de avenidas expressas e túneis que facilitam o acesso para os moradores da própria região sudoeste, criaram situação favorável para os novos usuários e moradores dos bairros nobres situados na região. Confirmam esta observação o perfil das obras realizadas, do tipo de veículo que é permitido circular, dos horários de direcionamento dos fluxos.

Esvaziamento residencial dos bairros centrais

O conjunto de bairros, denominados *bairros centrais* situados ao redor do Centro Histórico, do município de São Paulo, perdeu população. Esta perda se exprimiu tanto pela diminuição global do número de domicílios e de domicílios alugados, quanto pela degradação ou abandono dos imóveis existentes. Em contraponto e como parte do mesmo processo, as periferias metropolitanas continuam a apresentar índices de crescimento populacional elevados. A face visível desta dinâmica de distribuição da população na cidade e na metrópole está relacionada à precariedade e ao estado de abandono que encontramos tanto nos "bairros centrais" quanto nas periferias metropolitanas. A permanente busca de espaços para moradia pelas camadas mais pobres da população, conduz o processo. A irracionalidade do processo está produzindo uma ocupação que acentua desperdício de significativas parcelas de solo urbano plenamente equipado de infra-estrutura básica.

Essa dinâmica instalou-se em São Paulo de forma intensa e criou um novo paradoxo urbano: áreas plenamente equipadas em infra-estrutura e transporte de massa encontram-se em processo de esvaziamento populacional enquanto abrem-se, indiscriminadamente, novos e distantes setores de expansão urbana. A expansão centrípeta ocorre tanto em função do alojamento dos mais pobres nas periferias carentes de infra-estrutura urbana e equipamentos sociais, quanto dos mais ricos, abrigados em condomínios fechados, situados ao longo das rodovias que dão acesso à área central, sobrecarregando ainda mais o insuficiente sistema viário urbano. Fica claro que o mais essencial elemento de uma política urbana metropolitana, isto é, aquele que garante a articulação entre a habitação, o saneamento básico e o transporte público de massa, não foi objeto da ação do poder público.

Novas formas de inserção urbana e crescimento dos assentamentos populares

O conjunto dos espaços que pelos seus atributos são reconhecidos como assentamentos populares, estão incorporando novos aspectos na sua organização. Estão ocorrendo situações simultâneas que completam um quadro de precariedade dos espaços habitacionais populares em São Paulo. O mais evidente é o adensamento das grandes favelas, sobretudo Heliópolis na zona leste e Paraisópolis na zona sudoeste, e o tipo de integração que é criada com a estrutura urbana. O segundo é a multiplicação e dispersão de novos núcleos de favelas nas periferias metropolitanas. Sendo que, sua maior incidência coincide com áreas aonde ocorre um maior desenvolvimento econômico, como é o caso do município de Guarulhos. O terceiro, já descrito pela arquiteta

Marta Dora Grostein[5] é a reprodução de loteamentos ilegais com novas estratégias operativas principalmente em áreas com proteção ambiental gerando conflitos sociais e institucionais. Predominam, assim em partes significativas e crescentes do território, processos predatórios e insustentáveis de ocupação, impulsionados pelas dificuldades de acesso à moradia. A reprodução de loteamentos ilegais com novas estratégias operativas principalmente em áreas com proteção ambiental gerando conflitos sociais e institucionais e a multiplicação e dispersão de favelas nas periferias metropolitanas, geralmente em situação de risco ambiental.

No processo de expansão e transformação da metrópole paulistana os bairros formados pelos assentamentos populares ilegais – loteamentos, favelas e cortiços – continuam marcando e definindo a estrutura territorial metropolitana. A excessiva extensão da mancha urbana, e o papel inexpressivo dos instrumentos tradicionais de planejamento urbano e territorial são faces da realidade que ainda regem o processo. Na década de 80 e 90 essas características se acentuam, ao mesmo tempo em que a cidade produzida informalmente foi incorporada como objeto de novas políticas públicas.

A promulgação em 2001 do Estatuto da Cidade[6] poderá finalmente abrir novas perspectivas para esta conhecida problemática urbana. Fornece suporte jurídico à intervenção do poder público no espaço urbano, de modo a operacionalizar as novas interpretações do direito de propriedade, e garantir os direitos urbanos básicos, entendidos como o direto: à terra urbana, à moradia, ao saneamento ambiental, a infra-estrutura, ao transporte, aos serviços públicos, ao trabalho e ao lazer. Até este momento, importantes instrumentos de política urbana, já previstos na Constituição Federal de 1988 e que exigiam regulamentação federal, permaneciam sem aplicação, como: o parcelamento ou edificação compulsórios; o imposto sobre a propriedade predial e territorial urbana progressivo no tempo; e a desapropriação com pagamento mediante títulos da dívida pública. Cada um desses três instrumentos, e de dois outros que algumas municipalidades já colocavam em prática, como a outorga onerosa do direto de construir e as operações urbanas consorciadas, representam em si, avanços importantes que ampliam possibilidades de intervenção pública no espaço urbano, com expressivo alcance social e econômico.

Notas

1

CASTELLS, M. (1999). *A sociedade em rede*. São Paulo, Editora Paz e Terra, 1999.

2

CACCIARI M. (1972). "Metropolis", In: *De la vanguardia a la metropoli*. Barcelona, Gustavo Gilli, 1972.

3

VALLEJO, Manuel Hece (1999). "Proyectos de infraestruturas y ordenación urbana". Texto publicado em catálogo. O texto foi distribuído na disciplina AUH 842 FAUUSP.

4

Esse método de trabalho é desenvolvido no Laboratório de Urbanismo da Metrópole (LUME) da Faculdade de Arquitetura e Urbanismo da Universidade de São Paulo, coordenado por Marta Dora Grostein e Regina M. Prosperi Meyer. A publicação "São Paulo Metrópole" (EDUSP/IMESP) de autoria das coordenadoras e do economista Ciro Biderman, atualmente no prelo, pretende ilustrar essa abordagem.

5

GROSTEIN, Marta Dora. "Expansão urbana e planejamento na metrópole paulista: dinâmicas e conflitos no uso e ocupação do solo". *Banco Internacional para Reconstrução e Desenvolvimento* (BIRD) / Banco Mundial, agosto 2002.

6

Lei Federal 10.257 de 10 de julho de 2001, o "*Estatuto da Cidade*", regulamenta o capítulo de Política Urbana da Constituição Federal de 1988. Esta lei tramitou no congresso por mais de uma década.

[Debate 10, Fundação Bienal, 19 de setembro de 2003. Debatedores: Carlos Roberto Monteiro de Andrade e Paul Meurs]

Zeitalter der Televisionen
Der Traum vom Sehen
31. Mai – 15. Oktober 1997
Täglich von 10 bis 20 Uhr

Karl Jasper

Em todos os países está acontecendo uma discussão intensa em torno da revitalização das regiões industriais. Na Alemanha, a região industrial mais importante é a região do Rio Ruhr, com cerca de cinco milhões de habitantes; dentro dessa região maior cabe importância especial à sub-região do Rio Emscher que abrange cerca de dois milhões de habitantes em 17 cidades e uma área de mais ou menos 800 quilômetros quadrados.

Recorrendo ao instrumento da "Exposição de Construção", termo consagrado na história da arquitetura alemã, pretende-se colocar no centro do debate político e técnico esse tema da revitalização. Para tanto, o governo estadual da Renânia do Norte e Vestfália resolveu organizar uma exposição internacional de construção, com duração total de dez anos.

A Exposição Internacional Emscher Park não seria uma exposição nos moldes tradicionais. Foi idealizada pelo Estado da Renânia do Norte e Vestfália como uma espécie de programa do futuro para a região do Emscher. Assim criou-se, em 1989, a IBA Emscher Park com um prazo de duração de dez anos, tendo como objetivo dar novos impulsos à região pela introdução de novas idéias e projetos. Sua meta era implantar medidas de caráter urbanístico, social, cultural e ecológico como bases da transformação econômica de uma antiga região industrial.

Dando início a esse processo de mudanças estruturais, a Exposição de Construção Emscher Park criou uma ampla base de cooperação entre um grande número de parceiros que incluiu municípios, empresas, associações, grupos de ação e os próprios cidadãos. Os 17 municípios da região do Ruhr associaram-se à Exposição de Construção no ato de sua fundação por resolução de suas câmaras de vereadores. Eram eles: Duisburg, Oberhausen, Mühlheim, Bottrop, Essen, Gladbeck, Bochum, Gelsenkirchen, Recklinghausen, Herne, Herten, Castrop-Rauxel, Waltrop, Lünen, Dortmund, Kamen e Bergkamen.

No decorrer de dez anos foram desenvolvidos e executados mais de 120 projetos dentro de seis áreas de trabalho: 1. Parque paisagístico do Emscher; 2. Reorganização ecológica do sistema do Emscher; 3. Novos usos de construções industriais; 4. Trabalhar no parque; 5. Morar/ desenvolvimento urbano integrado; 6. Ações sociais, emprego e qualificação.

Muitos foram os agentes envolvidos na Exposição de Construção Emscher Park. À IBA Ltda. coube nessa organização complexa o papel de coordenadora e, às vezes, também de incentivadora. A responsabilidade pelos projetos isolados permaneceu nas mãos do respectivo "mantenedor", normalmente os municípios, mas também empresas ou grupos de ação.

A sociedade

A Exposição Internacional era uma subsidiária exclusiva do Estado da Renânia do Norte e Vestfália, organizada como sociedade limitada. Ao todo contava com 30 funcionários contratados. A direção executiva foi confiada ao Professor Karl Ganser. Para funções de assessoria científica e acompanhamento dos trabalhos da Exposição de Construção foi criado um comitê de correspondentes composto de 18 especialistas de diversas áreas.

Uma comissão executiva sob a presidência do secretário estadual responsável pela pasta de urbanismo decidia sobre a aprovação dos projetos. Essa comissão se compunha de representantes dos órgãos estaduais implicados, das cidades filiadas, do empresariado, dos sindicatos e das associações de proteção ambiental, de planejamento e de arquitetura. A curadoria, sob a presidência do governador do Estado, contava com a colaboração de diversas personalidades públicas que contribuíram na exposição com o seu incentivo e apoio.

Os princípios

A IBA Emscher Park era concebida como um programa que se definia pela execução concreta de projetos. Os projetos se caracterizavam, normalmente, por uma abordagem integralizante e abrangente que reunia sempre várias disciplinas num projeto concreto. O interesse no sucesso do projeto concreto relegou para um segundo plano os mecanismos de defesa das diversas especialidades (arquitetos, engenheiros de construção subterrânea, paisagistas, engenheiros de tráfego, artistas,

Mineradora Zeche Zollverein XII, Essen. IBA Emscher Park
Foto Thomas Brenner

juristas, economistas...), presentes de maneira latente em questões de princípio.

Um dos princípios essenciais para o sucesso da IBA Emscher Park foi o princípio da concorrência realizada sob um aspecto duplo. Por um lado criou-se um elemento de "estranheza" com a abertura das concorrências públicas dos projetos urbanísticos e arquitetônicos à participação de empresas supra-regionais e, geralmente, internacionais. Em segundo lugar, o vencedor da concorrência participava também da execução do projeto. Foi justamente a internacionalidade que abriu novas perspectivas na maneira de ver e pensar o desenvolvimento da região. E a participação dos vencedores na execução dos projetos transformou-se num selo de qualidade da IBA Emscher Park.

Eram envolvidas nos projetos também as pessoas afetadas pelo respectivo projeto e a opinião pública. A realização de concorrências públicas fez com que a IBA Emscher Park conseguisse desencadear desde o início um processo de discussão pública sobre a missão e o procedimento da IBA em exemplos concretos. O envolvimento das pessoas nas oficinas, nas discussões e, finalmente, na execução das idéias nascidas desse processo de definição dos projetos aumentou a aceitação da IBA Emscher Park.

O mesmo fim era perseguido também pelos acordos de qualidade. As metas sociais, econômicas, ecológicas e urbanísticas visadas pelos projetos eram fixadas por escrito em forma de acordo celebrado entre os mantenedores envolvidos – municípios, empresas de construção e incorporadoras, conselhos de locatários e a IBA Emscher Park.

Justamente em projetos de grande porte era importante evitar o surgimento de ruínas de investimento. Por isso, os projetos eram subdivididos em segmentos com certa consistência interna. Apesar de o objetivo final ter sido a conclusão de todos os segmentos, cuidou-se que a eventual desistência de um determinado segmento não comprometesse a funcionalidade dos demais.

O financiamento

Não houve disponibilização de recursos extraordinários para financiar os projetos da IBA Emscher Park. Foram utilizados exclusivamente os recursos já previstos em programas de incentivo do Estado, em combinação com verbas estruturais da União e da Comunidade Européia (um total de 36 programas públicos de incentivo). Além dos programas clássicos ligados à revitalização urbana e a incentivos para a economia e a habitação, foram usados também recursos destinados a programas de qualificação, ao programa ecológico Emscher-Lippe e à reestruturação das antigas regiões carboníferas. Ao todo foram investidos nos projetos cerca de cinco milhões de marcos, sendo mais ou menos um terço recursos públicos e um terço da iniciativa privada.

O arcabouço verde: o Parque Paisagístico do Emscher

A região do Emscher tem muito verde a oferecer quando vista do alto. Mas se alguém tentar explorar os recantos verdes a pé ou de bicicleta vai deparar-se a todo o momento com os limites típicos da região do Ruhr: áreas industriais, canais de esgoto e vias de tráfego. A paisagem dessa região é recortada, repartida, destruída. Para promover a longo prazo alguma mudança nesse estado das coisas colaboram no projeto IBA Emscher Park as 17 cidades localizadas às margens do rio Emscher, desde Duisburg até Bergkamen, além da associação dos municípios do Ruhr, tendo como objetivo comum a visão de um parque paisagístico com 300 quilômetros quadrados, em que a paisagem é restabelecida e protegida, e da interligação das áreas verdes.

O grande projeto retoma a tradição das "Faixas Verdes Regionais" das letras A a G, um plano desenvolvido nos anos 20 do século passado pelas Companhias de Habitação da Região Carbonífera do Ruhr, mas que nunca chegou a ser concluído. Partindo dessa base de planejamento antiga, as faixas verdes em sentido norte-sul hoje são ampliadas e integradas numa nova faixa que se estende de leste a oeste para formar um sistema de parques de projeção européia.

O Parque Paisagístico do Emscher é um projeto-piloto que integra como tema central a Exposição de Construção Emscher Park. Será ele a peça fundamental de uma nova infraestrutura regional voltada para o futuro. Interligando as áreas verdes isoladas, reconstruindo a paisagem e desenvolvendo a sua qualidade ecológica e estética, a atratividade dessa região em que moram e trabalham mais de 2 milhões de pessoas passará por um processo de melhora sustentável.

O leque de projetos ligados ao Parque Paisagístico do Emscher se estende desde o desenvolvimento das grandes áreas baldias até "canteiros de obra" de pequeno porte, como por exemplo, a implantação de biótopos ou a plantação de árvores; ao todo serão 200 medidas isoladas.

Reorganização do sistema do Emscher

Durante décadas, o rio Emscher era considerado a cloaca da região do Ruhr, mas agora passará à história como o símbolo da renovação de toda uma região industrial, ele e seus numerosos afluentes. Numa extensão de 70 quilômetros, o rio Emscher percorre de leste a oeste a porção norte da região do Ruhr, chamada de região do Emscher.

Por volta de 1900, quando a população aumentou em poucos anos em centenas de milhares de habitantes e a indústria produziu quantidades cada vez maiores de águas residuais, o sistema do Emscher com seus cerca de 350 quilômetros de rios e córregos acabou sendo transformado num grande sistema de esgotos. Com a participação dos municípios e das empresas industriais e de mineração da região formou-se, então, uma cooperativa que regulava os rios e córregos dando-lhes leitos de concreto, desníveis artificiais e a proteção de diques. A colocação de uma rede de tubulação de esgotos, o método usado normalmente nos grandes centros habitacionais e industriais da época, era inexeqüível por causa dos riscos de rompimento subterrâneo da tubulação em conseqüência dos constantes afundamentos do terreno dessa região de mineração. A solução encontrada foi, em seu tempo, um grande feito de engenharia que possibilita até hoje o tratamento das águas servidas a um custo relativamente baixo.

Mas, os tempos mudaram. Questões ecológicas ganharam importância decisiva e, para a população, o fim da mineração de carvão tornou obsoleta a justificativa para um sistema de esgotos a céu aberto. Como a extração de carvão se deslocou mais para o norte, já não persiste o perigo de afundamento do terreno. Com essa nova situação existe a chance de lançar os esgotos em canais subterrâneos e tratá-los em estações de tratamento descentralizadas. Tornou-se supérflua a camisa de força aplicada a rios e córregos. Os córregos podem voltar a percorrer um ambiente natural ou urbanizado. Cria-se um novo habitat para animais e plantas. O rio Emscher e seus afluentes se tornam importantes elementos de estruturação na paisagem livre e de espaço de lazer e esporte para os habitantes das cidades.

Trabalhar no parque

Durante muitas décadas eram elas o coração das cidades: as siderúrgicas e as minas. Desativadas e desmontadas, deixaram nas cidades grandes áreas freqüentemente desocupadas. Nesses espaços surgem hoje novas oportunidades de trabalho. Só que já não são as mesmas atividades de antigamente.

Dentro do projeto IBA Emscher Park foram criados em 19 pontos, com uma área total de cerca de 530 hectares, parques modernos com oficinas, serviços e instituições científicas, tendo como idéia norteadora o mote "Trabalhar no Parque". Com facilidades para novos empreendedores, localização privilegiada para empresas em expansão e integração entre a pesquisa e as atividades produtivas, todos os projetos foram realizados em regime de cooperação entre investidores públicos e privados, destacando-se por seus padrões ecológicos e arquitetônicos. Todos se localizam em parques, acessíveis a qualquer pessoa.

Os projetos "Trabalhar no Parque", desenvolvidos dentro do contexto da Exposição de Construção, ocupam exclusivamente antigas áreas industriais, destacando-se por sua concepção individual e própria, em acordo com o respectivo setor econômico. Na medida do possível houve uma integração com projetos de qualificação de mão-de-obra ociosa.

Nas áreas recuperadas oferecem-se incentivos especiais para inovações e a criação de empresas novas. Com a ajuda de recursos públicos são instalados pátios para quem quer começar seu próprio negócio e centros de empreendedores e de tecnologia, subvencionados na fase inicial. O objetivo é concentrar atividades inovadoras, atrair empresas com tecnologias do futuro, incentivando a transferência tecnológica na região.

Monumentos industriais

Mais de 150 anos de industrialização deixaram a sua marca na região: gigantescas instalações de mineração, altos-fornos e torres de extração, relíquias imponentes de uma época que passou. Hoje, as construções são testemunhas arquitetônicas que explicam às novas gerações a história da região. Visíveis de longe, transformaram-se em símbolos e pontos de referência e de identificação para os habitantes atuais. Sua demolição empobreceria a região.

A IBA Emscher Park apostou na conservação de testemunhas dignas de fazerem parte do patrimônio histórico da cultura industrial. Construções históricas nas mineradoras foram e continuam sendo reutilizadas para morar, trabalhar e praticar atividades de lazer. Nos pavilhões antigos entra uma vida nova trazida pela arte, pela cultura, por oficinas e escritórios. O antigo galpão do sangradouro de uma siderúrgica se transformou em um palco imenso. Pavilhões de mina são hoje ateliês renomados. É necessário incentivar o potencial cultural da região. A região já é, atualmente, uma das paisagens de arte mais densas da Europa. Para tanto tem a oferecer um cenário único de 200 anos de história industrial que merece ser descoberta. Uma das tarefas mais importantes dos próximos anos será fazer da região um pólo turístico.

Um dos desafios que se enfrenta ao lidar com as testemunhas do passado industrial é encontrar o justo equilibrio entre o que deve ser conservado e o que é efêmero. Há um outro desafio de natureza técnica e econômica. São exatamente as construções industriais do século XX que, com o seu tamanho e a estética de aço e ferro que lhes é peculiar, colocam o patrimônio histórico diante de novas provas de competência. Além disso, é difícil calcular os custos de conservação e manutenção dessas grandes instalações da era industrial. Por isso é inevitável que se proceda a uma seleção dos objetos realmente característicos e importantes para a história industrial.

Morar e desenvolvimento urbano

Ambiente bucólico no meio da região do Ruhr. Depois dos grandes erros cometidos durante as décadas passadas na área da habitação, as muitas cidades-jardim e as tradicionais vilas operárias adquiriram um status mais elevado de qualidade de vida e de moradia. No centro das atenções que envolvem seu saneamento está a participação ativa dos inquilinos. No contexto da Exposição Internacional de Construção, em cerca de 25% dos projetos a habitação foi o foco central do desenvolvimento urbano, da recuperação de áreas baldias, de intervenções urbanísticas e arquitetônicas nos canteiros de obras e no desenvolvimento de parques de habitação e comércio em áreas centrais. Resultado: cerca de 2.500 habitações novas e 3.000 reformadas. Mais ou menos 75% das construções habitacionais novas são apartamentos de aluguel subvencionados com recursos públicos. As suas qualidades especiais: na construção das novas moradias existe a preocupação de tomar em consideração aspetos ambientais, sociais, urbanísticos e estéticos. Assim pratica-se uma arquitetura moderna e agradável, com muito espaço para as crianças – conceitos aliás perfeitamente conciliáveis.

O engajamento de arquitetos e planejadores nacionais e internacionais nas concorrências e na execução dos projetos foi um elemento essencial do esforço de levar o ideal abstrato da qualidade "para dentro dos canteiros de obras". Foram levadas em consideração as necessidades de mães e pais separados, de deficientes, de pessoas idosas, de crianças. Nem foram esquecidas as famílias de menor renda. Dentro do projeto "Construindo facilmente a própria casa", as famílias participaram da construção de sua própria moradia. Assim, sua força muscular ajudou a economizar dinheiro.

Ações sociais, emprego e qualificação

As mudanças realizadas entre Duisburg e Dortmund precisaram do esforço coletivo de toda a região. Inúmeros cidadãos colaboraram nos projetos da IBA. Ajudaram a dar mais qualidade de vida aos novos conjuntos habitacionais, desenvolveram idéias para o aproveitamento de prédios antigos, ajudaram a compreender a história das antigas minas e siderúrgicas ou participaram ativamente da implantação de áreas de lazer vizinhas. Foram essas pessoas que contribuíram de modo decisivo para o desenvolvimento de sua região.

Algumas dessas ações resultaram em medidas de emprego e qualificação que ajudaram sobretudo aos desempregados crônicos a encontrar o caminho de volta ao mercado de trabalho. Em muitos projetos da IBA aproveitou-se a mão-de-obra de jovens desempregados: no saneamento de galpões industriais, na implantação de ciclovias e de áreas verdes. Em todas as ações da IBA existiu sempre a preocupação de integrar os desempregados e de abrir novas áreas de trabalho.

No final de 1996, o projeto realizou uma campanha que conclamou a região a "tomar a iniciativa". A ação visava incentivar a implantação de pequenos projetos coletivos de iniciativa privada, mobilizar as forças e o empenho dos cidadãos e, sobretudo, repassar aos bairros o espírito social, ambiental e sócio-cultural do projeto.

Esses tipos de projetos pontuais também contribuem para a transformação estrutural, uma vez que melhoram sensivelmente a infra-estrutura local integrando as atividades voltadas aos interesses da coletividade e (re)aproveitando áreas e prédios desocupados. Os investimentos em construção e a execução de programas levam, normalmente, também ao emprego e à qualificação de desempregados. No projeto IBA Emscher Park foram incluídos ao todo 16 projetos dessa natureza. As ações receberam apoio concreto na medida em que os projetos exeqüíveis eram subvencionados com recursos estaduais.

Epílogo

Terminado o prazo de dez anos, o projeto IBA Emscher Park foi encerrado em 1999, um ano antes do fim do século XX. A data é casual e, ao mesmo tempo, programática. Ela marca o fim da era industrial clássica, uma época de grandes ideologias e utopias e, ao mesmo tempo, uma época de utilização perdulária dos recursos da natureza.

A Exposição de Construção do Emscher Park foi executada entre 1989 e 1999 como um programa estrutural por tempo determinado no coração da região do Ruhr. A IBA foi uma oferta do Estado da Renânia do Norte e Vestfália à região do Ruhr que incluiu, com a criação da IBA Emscher Park Ltda., uma estrutura de gerenciamento adequada. Com a participação das empresas, dos sindicatos e das associações da região conseguiu-se um consenso regional para o projeto da IBA.

O objetivo da IBA Emscher Park era dar um impulso à reestruturação ambiental e cultural da região banhada pelo rio Emscher que, no passado, sofrera os efeitos de degradação de uma industrialização exacerbada, com os déficits habituais de urbanidade das regiões intensamente industrializadas.

Entre as principais inovações trazidas pela IBA Emscher Park merecem ser citadas: Integração do uso do solo e das construções, da energia e dos recursos hídricos; Reformulação de um sistema de escoamento das águas centralizado e antiquado (Sistema do Emscher); Recuperação da paisagem no maior projeto integrado dessa natureza na Europa; Criação de um centro econômico do futuro com projeção regional e qualidade excepcional nas áreas ocupadas anteriormente pela indústria de mineração e siderurgia (parque de serviços e porto fluvial de Duisburg, parque comercial e paisagístico de Gelsenkirchen-Nordstern, Academia Mont Cenis no bairro de Herne-Sodingen, parque de pesquisa científica de Gelsenkirchen, Mineradora Zollverein XII em Essen); Impulsos inovadores do projeto "Construindo facilmente a própria casa", para dar à população menos privilegiada a oportunidade de ter uma moradia pagável; Conservação de monumentos da cultura industrial e de toda uma época em proporções nunca vistas, integrando-os num novo ambiente urbanístico e paisagístico e preparando-os para novas formas de utilização.

Durante os dez anos da IBA Emscher Park foram desenvolvidos e executados cerca de 120 projetos nas áreas centrais de atuação da IBA, um investimento de 5 milhões de marcos (três de recursos públicos e dois de investimentos particulares). Os mais de cem projetos estão espalhados como peças de um quebra-cabeça por todas as 17 cidades da região do Emscher. Apesar de cada projeto ser único, formam em seu conjunto a rede de revitalização de uma região industrial.

Desde o começo, a IBA Emscher Park insistiu no caráter comunitário do projeto, com o envolvimento e a participação dos cidadãos da região como elemento essencial do projeto da Exposição Internacional de Construção Emscher Park.

Um dos objetivos principais da exposição de construção definiu-se como o direito dos habitantes da região à beleza. A realização dessa meta é devida sobretudo aos artistas que ajudaram a dar um novo rosto à região do Ruhr. Os artistas e arquitetos conseguiram transmitir uma nova sensação aos habitantes da região e aos visitantes.

Com a sua atuação, a IBA Emscher Park deu a essa região industrial também novos impulsos na área de turismo e a missão de manter essa excelência nas ações futuras de desenvolvimento da região. Com a realização da Trienal do Ruhr, o governo estadual e a região apostam na possibilidade de fazer de antigos conjuntos industriais palcos excelentes para eventos de música, ópera e teatro.

Com a campanha "Cultura Urbanística", o secretário estadual de urbanismo levanta para o país inteiro a bandeira de uma cultura de planejamento, de uma boa arquitetura e de um urbanismo qualitativo. A região requer a continuidade das medidas de organização para o futuro dos centros da cultura industrial no Parque Paisagístico do Emscher. O programa "Cidade Social" incentiva os habitantes de bairros desprivilegiados a participarem de projetos de melhoria.

[Debate 11, Fundação Bienal, 20 de setembro de 2003. Debatedores: Fernando Mello Franco e Ricardo Toledo]

CAIXA
JEANS

Desafio da reabilitação da área central com inclusão social em São Paulo

Nabil Bonduki brasil

Neste texto, a área central da cidade de São Paulo será abordada na perspectiva de discutir alternativas de intervenção capazes de compatibilizar a reabilitação da região com a inclusão social.

A experiência internacional e nacional do que tem sido chamado de "recuperação das áreas centrais" tem se caracterizado, em geral, por um processo de *gentrificação*, em que os investimentos públicos voltados para atrair as classes média e alta, com destaque para as atividades terciárias, de lazer e cultura, vêm gerando a expulsão das camadas de baixa renda, tanto no que se refere à moradia como em relação às oportunidades de trabalho, em particular o comércio ambulante.

A área central de São Paulo, assim como toda a área consolidada da cidade, tem passado por um processo de esvaziamento habitacional e de abandono do comércio e serviços sofisticados, que se acentuou nos últimos vinte anos. Em conseqüência, tem ocorrido uma forte redução da população moradora, em todas as faixas de renda, e o deslocamento da sede de empresas e escritórios para novas regiões de interesse do mercado imobiliário, como Faria Lima, Berrini e Marginal do Rio Pinheiros. O resultado é uma grande quantidade de prédios, salas e apartamentos vazios ou ociosos, ao mesmo tempo em que as ruas foram tomadas pelo comércio ambulante, que aproveita o fato de três milhões de pessoas circularem diariamente na região. Este processo caracteriza uma popularização do centro, que muitos identificam, equivocadamente, com deterioração.

Neste contexto, o debate sobre a reabilitação da região aponta para duas perspectivas: uma visão mais tradicional que busca recuperar o *glamour* do centro e torná-lo mais atraente para a classe média e empresas, e outra que defende a necessidade de garantir o espaço dos mais pobres no centro, por meio de programas habitacionais e de geração de renda e emprego.

Nos anos 90, vários movimentos de moradia passaram a reivindicar programas habitacionais de interesse social na área central, e a promover, como instrumento de pressão e denúncia, a ocupação de prédios vazios, lutando pelo direito a viver nas áreas bem servidas de infra-estrutura e concentradoras de empregos.

A partir de 2001, a nova administração municipal, tentando compatibilizar as duas visões, passou a implementar um amplo conjunto de ações que objetivam reabilitar a área central com inclusão social. Foi lançado o Programa Reconstruir o Centro, que conta com financiamento do BID e articula vários projetos de intervenção, incluindo projetos habitacionais. Mas, uma grande novidade para dar sustentabilidade a uma intervenção com essa orientação é, indiscutivelmente, o novo Plano Diretor Estratégico da cidade, aprovado em 2002 pela Câmara Municipal, após amplo debate.

O Plano estabelece como um dos seus objetivos mais importantes reabilitar os bairros centrais (incluídos na Macroárea de Requalificação e Reestruturação) e estimular a habitação de interesse social na área consolidada da cidade. Para isto, foram regulamentados novos instrumentos urbanísticos capazes de combater a retenção de terrenos e prédios ociosos (como a edificação e a utilização compulsórias) e de destinar territórios bem localizados para a população de baixa renda, por meio das Zonas Especiais de Habitação de Interesse Social (Zeis).

São Paulo tem, assim, a oportunidade de desenvolver uma intervenção inédita: reabilitar o centro e gerar uma cidade menos segregada e mais justa, onde as atividades econômicas e a habitação compartilhem as mesmas regiões, reduzindo a necessidade de deslocamento na cidade. O Plano Regional do Centro (os planos regionais são uma das peças da segunda etapa do Plano Diretor) deve consolidar uma estratégia de intervenção na região, combinando a aplicação dos novos instrumentos urbanísticos com os projetos de intervenção para evitar que a região sofra o tradicional processo de segregação social que caracteriza as intervenções do poder público nas áreas centrais.

Largo da Concórdia. Vista Aérea. São Paulo
Foto Nelson Kon

A necessidade de romper a tradição de segregação

A política urbana implementada em São Paulo, desde o começo do século, foi estruturada numa perspectiva de segregar atividades, criando áreas e zonas social e funcionalmente separadas. Esta política trouxe um amplo leque de problemas para a cidade, como, entre outros, a necessidade de longos e intensos deslocamentos casa-trabalho, gerados pela existência de bairros dormitórios e regiões onde predominam atividades não residenciais, com destaque para a área central e para a coroa de bairros no seu entorno.

A proposta de estimular a habitação na área central e consolidada visa romper esta tradição, colaborando para desfazer a segregação urbana hoje presente na cidade, dos pontos de vista social e funcional.

As vantagens de uma cidade menos segregada são muitas. Aproximar moradia e trabalho é uma medida fundamental, que reduz custos e o desgaste da população. A cidade ficaria mais equilibrada, com habitação e trabalho em todas as regiões. Para isto seria necessário inverter a visão de que habitação social tem que estar na periferia. Só assim, uma megalópole com 18 milhões de habitantes pode se tornar viável e funcionar de uma maneira mais integrada e com melhor qualidade de vida.

Por outro lado, depois de décadas de abandono, é um consenso na sociedade a necessidade de reabilitar a área central. No entanto, neste processo, não se pode repetir a exclusão social que ocorreu em outros momentos em que o poder público atuou na região. As intervenções urbanas nas áreas central e consolidada da cidade, ao longo do século XX, excluíram a população de baixa renda, trabalhando com a idéia equivocada de que deterioração é sinônimo, ou conseqüência, do fato de gente pobre morar nesses lugares.

Desde a intervenção urbana dos anos 10, quando a administração do Barão de Duprat, sob a coordenação do engenheiro Vítor da Silva Freire, abriu a Praça da Sé e o Parque do Anhangabaú, alargou ruas da antiga cidade colonial e expulsou famílias pobres que ocupavam estas áreas, passando pelas grandes obras dos anos 40, quando o prefeito Prestes Maia implantou o Anel de Irradiação no entorno imediato do centro, densamente ocupado por cortiços, até intervenções mais recentes, como a criminosa derrubada do casario das ruas Assembléia e Jandaia realizada pelo prefeito Jânio Quadros em 1987, sempre a renovação e o embelezamento do centro se processaram expulsando a população de baixa renda que ali vivia precariamente, com o argumento de recuperar áreas deterioradas.

Recuperar o centro nunca levou em conta a preocupação de promover moradia digna para os trabalhadores na região. A opção sempre foi excluí-los dos benefícios de morar perto. Para a visão de um urbanismo elitista, a moradia popular no centro tornou-se sinônimo de anomalia. No entanto, os pobres têm resistido e chegam a pagar aluguéis elevados para morar mal, porque precisam estar próximo do trabalho e dos equipamentos sociais. É por isso que esse ciclo de precariedade e expulsão tem se repetido e se reproduzido ao longo do último século.

A partir dos anos 80, a tendência já existente de desvalorização imobiliária da área central se agravou. O surgimento de pólos de terciário avançado gerou novas centralidades e atraiu empresas e escritórios, que têm abandonado a região central. O resultado foi um processo de esvaziamento imobiliário, gerando muitos prédios vazios e escritórios ou salas para alugar. Embora o processo seja mais acentuado nas áreas centrais, ele reflete um problema mais geral na cidade e atinge também os imóveis residenciais. Dados do Censo de 2000 revelam que existe cerca de 420 mil unidades domicílios desocupados na cidade de São Paulo.

O abandono das atividades mais nobres não significou que o centro perdeu vida, pois ele continua sendo o principal pólo gerador de empregos na cidade e apresenta grande vitalidade. A desvalorização imobiliária, no entanto, foi notável. Parte do comércio e os serviços mais sofisticados deixaram a região, que se tornou uma área mais popular, fortemente ocupada pelo comércio ambulante, apesar de o comércio especializado continuar presente em áreas como a 25 de Março e Santa Ifigênia.

O resultado foi uma grande quantidade de prédios e escritórios vazios, edificações construídas nos anos 40 e 50 e que estão defasadas em relação às exigências tecnológicas mais recentes. Estes imóveis, para serem ocupados, precisam passar por um processo de reforma, adaptação e/ou reciclagem. As atividades tradicionais não têm tido interesse econômico para realizar este investimento, pois os novos pólos de centralidades – como inicialmente a Paulista e depois o eixo formado pela Faria Lima, Berrini e Marginal do Rio Pinheiros – são mais atraentes para as empresas.

Foi neste contexto urbano, nos anos 90, que o movimento de moradia se mobilizou para lutar por habitação digna na região, com um intenso e ruidoso processo de ocupação de prédios vazios. Na ausência de política habitacional, elas se transformaram num instrumento de pressão junto ao poder público, dando visibilidade ao problema da moradia nos cortiços e à existência de dezenas de prédios ociosos.

Os edifícios ocupados tornaram-se novos elementos de precariedade, pois seu principal objetivo não era servir de moradia permanente sem uma intervenção pública, mas denunciar a situação e pressionar por soluções. Neste sentido, esta mobilização teve um papel importante, pois colocou a questão da habitação no centro na agenda da cidade. A criação em 2001, na Câmara Municipal, da Comissão de Estudos sobre Habitação na Área Central, por mim proposta, assim como inúmeras outras iniciativas de debater ou propor programas na região, só foi possível porque o movimento social pautou o assunto.

Assim, a recuperação do centro não pode deixar de levar em conta o uso habitacional que dá sustentabilidade social para a intervenção. Um dos principais objetivos da política urbana da atual administração é romper este ciclo de exclusão social no centro e inúmeras ações no âmbito do Executivo e do Legislativo têm sido tomadas para reverter o histórico processo de segregação urbana presente em São Paulo, com destaque para o Plano Diretor e para a política habitacional do município. Os resultados, entretanto, ainda são incertos, pois apenas a médio prazo será possível avaliar se as medidas que estão sendo tomadas surtiram os efeitos desejados.

Dos conjuntos habitacionais periféricos à moradia digna nas áreas centrais

O desinteresse em produzir habitação social na área consolidada da cidade pode e deve ser rompido. No âmbito do governo estadual, a CDHU dispõe, desde 1988, de vultosos recursos (cerca de 600 milhões de reais por ano) que seriam suficientes para uma intervenção massiva na região, mas o Programa de Ação em Cortiços (PAC), que vem sendo formulado há vários anos, até agora muito pouco conseguiu concretizar. O órgão anuncia que a partir de 2003, com a obtenção de recursos do BID, o programa irá deslanchar, mas estabeleceu uma meta irrisória de produzir 3 mil unidades nos próximos quatro anos. A prefeitura, que nada fez nas administrações Maluf e Pitta (1993/2000) – tendo, inclusive, paralisado as pioneiras intervenções realizadas no governo de Erundina (1989/1992) –, desde 2001 passou a priorizar o programa Morar no Centro e, espera-se, deverá implementar uma ação intensa na região, incluindo a implantação de um programa de locação social.

Para agir na região, conta-se com financiamento da Caixa Econômica Federal, que criou, em 1999, o Programa de Arrendamento Residencial – PAR, que deveria priorizar as áreas centrais das regiões metropolitana com recursos subsidiados. Até agora, entretanto, os projetos são pontuais e uma análise mais aprofundada revela que, até o presente, apesar de sua potencialidade, este programa tem fracassado como um mecanismo de apoio a uma intervenção de peso nas áreas centrais.

São nítidas as dificuldades em reverter uma "cultura" fortemente incrustada nos órgãos promotores de habitação, que sempre estiveram voltados para a produção habitacional em glebas periféricas. Isto porque a questão da moradia no Brasil tem sido historicamente pensada pelo poder público como simples produção de unidades habitacionais em áreas distantes e desprovidas de equipamentos sociais e empregos. São Paulo não foge a esta regra geral e o resultado tem sido a implantação de grandes conjuntos na periferia da cidade, reproduzindo um modelo de expansão urbana horizontal. Recentes declarações do secretário Estadual de Habitação, que afirmou que construir na periferia é mais barato, mostra a visão estreita e setorial, do ponto de vista urbano, do responsável pela maior verba orçamentária existente no país para a moradia popular.

A produção financiada pelo Sistema Financeiro da Habitação, por intermédio do BNH, entre 1964 e 1986, com sua lógica produtiva, consolidou um equivocado conceito de que a redução do déficit quantitativo de moradias deveria se dar pela produção de unidades novas nas periferias. Essa postura ainda predomina no país, apesar da existência de exceções em alguns (poucos) municípios e da própria visão do governo federal sobre a questão ter começado a se alterar a partir de 1995.

Está claro que o problema da moradia deve ser abordado de modo mais amplo do que a simples construção de unidades habitacionais. Produzir habitação é produzir cidade, e é nesse contexto que se insere a questão da habitação no centro de São Paulo. Viabilizar moradia digna nas áreas centrais não é, somente, responder a uma reivindicação justa dos movimentos de moradia e dos moradores em cortiços; trata-se de uma proposta para a cidade como um todo, na perspectiva de reduzir as desigualdades urbanas e a segregação social.

O crescimento ocorrido nas últimas décadas estendeu a mancha urbana de São Paulo para além dos seus limites aceitáveis. Nos extremos da cidade, a mais de 35 km do centro, inclusive em zonas com restrições ambientais, formam-se novos loteamentos e ocupações irregulares. As intervenções do poder público, no campo da habitação de interesse social, têm reforçado este processo de crescimento horizontal, objetivando uma economia imediata, já que a terra, item fundamental para a produção de habitação, é mais barata na extrema periferia. No entanto, o custo global de implantação (que inclui infra-estrutura, sistema viário, equipamentos sociais e transportes) e suas conseqüências (longo tempo de deslocamento, desgaste físico, falta de oportunidades de trabalho, perda de identidade etc.) mostram que a opção é equivocada.

Dados sobre a produção pública de habitação promovida por órgãos da Prefeitura e do Estado indicam sua localização periférica: das 153.758 unidades produzidas de 1965 a 1997, apenas 3.979, ou seja, 2%, foram implantadas no centro expandido de São Paulo, enquanto que 62% localizaram-se no extremo da zona leste, que se transformou numa verdadeira cidade dormitório. Assim, o poder público, com os programas habitacionais, tem contribuído para a manutenção desse modelo de crescimento urbano, que deixa para trás imóveis e terrenos ociosos, bem como unidades habitacionais vazias, localizadas em áreas consolidadase são providas de equipamentos, serviços públicos e oportunidades de trabalho.

O esvaziamento populacional do centro com problema urbano de toda a cidade

A configuração radio-concêntrica da cidade, resultado de planos e projetos desenvolvidos pelo poder público, gerou uma estrutura urbana que gira em torno do centro, ainda fortemente presente apesar das intervenções mais recentes que buscaram criar novas centralidades. Assim, mais de 250 linhas de ônibus e grande número de estações de metrô e de trem metropolitano estão dentro do perímetro da área central, nó de articulação para toda a cidade.

A pesquisa origem-destino do Metrô apresenta o centro como o destino da maioria das viagens diárias produzidas, num total de 19,61 milhões por dia. Para se ter uma idéia do grau de polarização do centro, a segunda região em destino de viagens, a região sudeste, alcança apenas 4,1 milhões de viagens diárias. Como a maioria dessas pessoas busca o trabalho, a infra-estrutura instalada fica ociosa à noite, quando milhões de pessoas voltam para os lugares de origem, situados sobretudo nas áreas periféricas.

A quantidade de pessoas que busca o centro, por si só, mostra a necessidade de diversificar os usos e funções na região, que apresenta grande quantidade de terrenos não edificados, em geral ocupados por estacionamentos, e de imóveis sub-ocupados, incluindo apartamentos e salas desocupadas. Os dados sobre o esvaziamento populacional da área central reforçam ainda mais esta diretriz: existem cerca de 200 imóveis fechados, o que estimulou o processo de ocupações, que registrava, em 2001, cerca de 17 prédios invadidos por mais de 1300 famílias. A maior parte destes edifícios estava ociosa havia mais de dez anos.

Tabela 1 – Evolução da população

Região	1980	1991	1996	2000
Subprefeitura da Sé	591.769	512.512	436.555	359.464
Município de São Paulo	8.475.380	9.610.659	9.836.129	10.406.166
Região Metropolitana de São Paulo	12.549.856	15.369.305	16.562.227	17.833.511

Fontes: Fundação Instituto Brasileiro de Geografia e Estatística – IBGE; Fundação Sistema Estadual de Análise de Dados – SEADE.

No período de 1980 a 2000, os distritos que compõem a Subprefeitura da Sé perderam 230.000 habitantes, enquanto que o município de São Paulo e sua Região Metropolitana continuaram crescendo em índices elevados. O fenômeno não se limita aos bairros centrais, pois todos os distritos da área de urbanização consolidada perderam população.

A queda de população residente na área central é muito significativa. No período de 1991 a 1996, todos os distritos do centro tiveram forte decréscimo: Pari perdeu 25,53%

dos seus moradores; Bom Retiro, 20,47%; Sé, 18,86%; Brás, 17,78%. Esses dados, já alarmantes em se tratando de distritos com toda infra-estrutura instalada, se revelam ainda mais preocupantes quando se verifica o que está ocorrendo na periferia da cidade.

Nessa região, com carências urbanas e sociais de todo tipo, ocorreu, nos últimos vinte anos, um altíssimo crescimento populacional, em parte como conseqüência da ação ou da omissão do poder público. Cidade Tiradentes – onde a prefeitura concentrou seus conjuntos habitacionais nos anos 80 – teve um acréscimo de 2.114%; Anhangüera, região de alta declividade na zona noroeste, cresceu 619%; Parelheiros, na região de proteção aos mananciais, 223%. No mesmo período, o Pari foi o recordista de perda: quase metade de sua população (46%) deixou o distrito. Evidencia-se um processo excludente que promove imensas desigualdades sociais e que gera *deseconomias*, que se manifestam em todos os setores das políticas públicas. Onde a cidade está bem servida de equipamentos e infra-estrutura, a população decresce; onde predomina a precariedade, a população cresce. Equipamentos sociais ficam ociosos e são desativados nos bairros centrais enquanto que a periferia passa a requerer mais investimento social para atender uma população que cresce a índices elevadíssimos.

Por outro lado, a observação da concentração de empregos mostra que, malgrado o deslocamento das atividades mais sofisticadas para os novos pólos de centralidades, a região central ainda concentra fortemente as vagas de trabalho: juntos os dez distritos da Subprefeitura da Sé têm 1,99 emprego para cada morador, número que cai para 0,47 no município de São Paulo, para 0,42 na Região Metropolitana e para 0,08 em distritos periféricos, como Cidade Tiradentes, verdadeiro bairro dormitório. No extremo oposto, República alcança mais de três empregos para cada morador, atraindo população de todo o município.

Fica claro, assim, que a habitação na área central se coloca como uma questão urbana da maior importância. Viabilizá-la trará benefícios para toda a cidade, reduzindo a necessidade de investimento para a expansão da rede de infra-estrutura e equipamentos, ajudando a preservação das áreas de proteção ambiental e reduzindo a necessidade de transporte.

Perfil da população moradora em cortiço

É certo que existem dificuldades para implementar um massivo programa de habitação nas áreas centrais, como o valor dos imóveis. Mas existem formas para superá-las, sobretudo depois da aprovação do Plano Diretor, que criou instrumentos para facilitar e baratear o acesso a terra. A observação da situação socioeconômica dos moradores de cortiços – cerca de 600 mil se considerados apenas os que utilizam instalações sanitárias coletivas – revelam a necessidade de viabilizar soluções habitacionais de boa qualidade nas áreas centrais para uma boa parte desta população.

Pesquisa desenvolvida pela Fipe em 1997, numa amostra de cortiços localizados nas antigas Administrações Regionais da Sé, Mooca e Vila Prudente, mostrou que uma parcela significativa da população encortiçada participa de forma estruturada do mercado de trabalho, tem estabilidade na modalidade e localização da moradia e necessita morar nas áreas centrais, pagando para isto aluguéis altíssimos que comprometem uma elevada parcela de sua renda.

O estudo mostrou que mais da metade dos moradores (53%) são trabalhadores assalariados com registro em carteira, e que a renda familiar média e mediana situa-se entre 5 e 6 salários minimos, sendo que 38% recebe mais de 6,8 salários mínimos. O levantamento revela, ainda, certa estabilidade na condição e localização da moradia, pois 29% das famílias pesquisadas habitam há mais de três anos o mesmo cortiço, sendo muito expressivo o número de famílias que, mesmo tendo mudado de endereço, moraram sempre em cortiço e no mesmo bairro.

Estes dados mostram que a localização, que possibilita proximidade ao emprego e aos serviços públicos, é fator determinante na opção por morar em cortiços em áreas centrais ou consolidadas. De certa forma explicam porque esta alternativa de moradia, que apresenta inaceitáveis condições de *habitabilidade*, é tão buscada mesmo por famílias que teriam renda e estabilidade para morar melhor.

A necessidade de se morar em localizações centrais gera um alto comprometimento da renda familiar com o pagamento do aluguel do cortiço: metade dos moradores gasta mais de 28% da renda familiar com o aluguel, e um quarto, mais de 43%. Isto revela que a maioria dos encortiçados despende com aluguel mais do que os órgãos de financiamento estabelecem como o máximo de comprometimento da renda com a habitação, normalmente fixado em 25%. No que se refere ao valor do aluguel, temos uma situação cruel, pois o aluguel em cortiços pequenos chega a 13 reais por metro quadrado enquanto que o aluguel no mercado formal custa 9 ou 7 reais o metro quadrado. Portanto, os moradores de cortiço gastam mais por metro quadrado do que quem mora melhor.

O altíssimo comprometimento da renda com o pagamento do aluguel está diretamente relacionado com a localização, cujas vantagens compensam o alto custo. Parte significativa desta população opta por morar próxima ao trabalho: 55% vão à pé para o emprego, nada gastando com transporte coletivo ou podendo se beneficiar da mercantilização do vale-transporte que recebem da empresa, o que contribui para a formação da renda familiar. Muitos trabalham em horários incompatíveis com a freqüência do transporte coletivo, que deixa de funcionar à meia-noite, e não teriam como chegar em casa se morassem longe.

Desta forma, para um grupo expressivo dos encortiçados, as alternativas habitacionais localizadas em regiões menos centrais são inadequadas. Sempre existiu uma demanda no mercado popular por moradia localizada nas áreas centrais, nunca atendida pela produção pública. Estes dados mostram a necessidade e viabilidade de estruturar um massivo programa habitacional nas áreas centrais e consolidada da cidade.

O papel do Plano Diretor para viabilizar habitação social na reabilitação do centro

A área central deve ganhar nos próximos anos um grande impulso de transformação. A administração municipal, após dois anos e meio de trabalho, obteve um financiamento de cerca de cem milhões de dólares do BID, e deverá implementar inúmeras intervenções no espaço urbano e em edifícios significativos da região. A mudança de praticamente toda a administração municipal para sedes localizadas no centro, ação que começa a ser imitada pelo governo do Estado, está contribuindo para re-inserção da região no mercado imobiliário. Aqui e acolá, surgem indícios de que o setor privado começa, ainda de modo tímido, a voltar a se interessar pela região.

O risco é que, como sempre ocorre em intervenções deste tipo, o processo gere uma valorização imobiliária que não apenas inviabilize programas habitacionais na região como exerça uma forte pressão no sentido de expulsar moradores e trabalhadores que conseguiram se instalar exatamente em decorrência do processo de desvalorização das últimas décadas. Evitar este processo é vital para que a reabilitação do centro seja inovadora e possa se inserir numa nova perspectiva de política urbana, que rompa com o tradicional processo de segregação urbana que, em última instância, é uma forma de privatizar os investimentos públicos para beneficiar camadas da população já privilegiadas.

Neste sentido, a implementação do Plano Diretor, por meio dos novos instrumentos urbanísticos que foram regulamentados, é a principal arma de que se dispõe para garantir que este processo de reabilitação do centro possa ser compatível com a implementação de um programa habitacional de peso na região que, como vimos, é indispensável para a cidade. Mas não basta a existência destes dispositivos no Plano Diretor, é necessário que ele seja implementado e que seus instrumentos sejam utilizados de forma criativa e articulada. Caso isto não ocorra, é praticamente certo que se repita em São Paulo o modelo convencional de exclusão que normalmente é contemporâneo aos processos de recuperação urbana de centros históricos.

Para que evitar esse problema, é necessário atuar em duas frentes: por um lado, preservar trechos da região do processo especulativo e, por outro, agir sobre o mercado imobiliário para aumentar a oferta de imóveis e terrenos, com a conseqüente redução do seu preço.

Na primeira perspectiva, é necessário evitar que parcelas do território da área central sejam contaminadas pelo processo de valorização imobiliária, tanto para impedir que a população moradora seja expulsa como para viabilizar a implementação de empreendimentos habitacionais públicos e privados, capazes de atender a população de baixa e média baixa renda. Com este objetivo, foram regulamentadas e delimitadas no Plano Diretor as Zeis (Zonas Especiais de Interesse Social) do tipo 3. Trata-se de áreas localizadas em regiões dotadas de infra-estrutura, reservadas para a implantação de projetos habitacionais de interesse social (HIS) e de Habitação do Mercado Popular (HMP), produção privada voltada para a baixa classe média. Nestas zonas, foram definidos índices urbanísticos específicos para facilitar a produção habitacional público e privado, que ademais são isentos da outorga onerosa do direito de construir. O Plano Regional e a nova lei de zoneamento podem criar novos perímetros de Zeis e aperfeiçoar sua regulamentação para que elas exerçam um papel efetivo no processo de reabilitação da área central.

Já na segunda perspectiva, é fundamental identificar no Plano Regional, segundo os critérios definidos no Plano Diretor, os imóveis e terrenos que não estão cumprindo a função social da propriedade (incluindo prédios vazios e estacionamentos) e aprovar a lei específica que permite aplicar os dispositivos da edificação e da utilização compulsórias, com o objetivo de ampliar a oferta de imóveis na região, exercendo uma pressão contrária à valorização imobiliária que a reabilitação do centro deverá exercer.

Sem a aplicação destes instrumentos, será cada vez mais difícil implementar projetos habitacionais de interesse social na área central da cidade. Sem habitação, não será garantida a mistura de usos e classes sociais indispensáveis para garantir uma reabilitação consistente na perspectiva de uma cidade mais justa.

[Debate 21, Fundação Bienal, 20 de setembro de 2003. Debatedores: Pablo Benetti e Roberto Segre]

Great Court do Museu Britânico.
Projeto Norman Foster and Partners
Foto Nigel Young

Vista aérea da região da Luz, São Paulo
Foto Nelson Kon

Regina Meyer
brasil

O centro da metrópole de São Paulo

Da cidadela medieval que reservava à centralidade uma dimensão comunitária e distintiva do poder, à cidade modernista do VIII Congresso de Arquitetura Moderna (CIAM), realizado em Londres em 1951, cujo tema é o Centro, elevado à condição de *coração da cidade*, a história urbana e o urbanismo assistiram a um longo e persistente elogio e, em certa medida, defesa da *centralidade*. Os seus atributos lhe garantem a possibilidade de ser simultaneamente: lugar da consciência histórica, espaço simbólico, lugar privilegiado da arte como experiência cívica e manifestação coletiva. Hoje, o paralelismo entre dois processos – declínio da qualidade urbana e emergência de uma violenta crítica aos princípios teóricos do Movimento Moderno – que tem dominado as análises e as proposições urbanísticas desde os anos 60, envolve também as questões relativas aos centros das metrópoles. O esgotamento das premissas que conduziram a prática do urbanismo funcionalista ao longo do século XX, associado à desorganização crescente do espaço urbano, é muitas vezes relacionado à chamada *crise urbana*, vista e assumida também como crise do *Centro*. A deterioração da qualidade urbana e das condições de vida das classes populares nas grandes cidades vem apontando para algumas constatações recorrentes que têm nas áreas centrais importantes desdobramentos. A partir da década de 50 trabalhos produzidos fora do restrito campo disciplinar do urbanismo relacionavam o crescimento urbano de baixa densidade com princípios urbanísticos funcionalistas. Enquanto o crescimento urbano foi conduzido pela expansão periférica, pela reprodução contínua de conjuntos habitacionais extensivos, resultado da política habitacional envolvida com a oferta em grande escala e conseqüentemente na ocupação de novos e distantes territórios, iniciava-se, simultaneamente, o processo de dissolução das áreas centrais e a decadência do espaço público. Embora distintas na sua forma de produção e sobretudo na qualidade urbana que as acompanhou, as periferias das grandes cidades industriais são um fenômeno presente em todos os continentes. Essa relação baseada sobretudo no transporte individual, é fundamental para chegarmos a diagnósticos menos restritos, tanto do ponto de vista funcional como territorial, das *questões das áreas centrais*. Portanto, assumir que a denominada crise do Centro e das áreas centrais possui relações intrínsecas com a crise urbana vivida pelas metrópoles e grandes cidades é o primeiro passo para estabelecer análises mais complexas. Reconhecer que ambas são resultantes do mesmo padrão de urbanização que se caracteriza pela expansão rumo às periferias, com baixa densidade de ocupação e pouca diversidade funcional, modelo que prevaleceu ao longo do período de consolidação da cidade industrial, é decisivo para o encaminhamento das propostas para o Centro neste início de século.

[Palestra 01, CCBB-SP, 13 de setembro de 2003]

Silodam, conjunto habitacional com 157 apartamentos em Amsterdã. Arquitetos MVRDV
Foto Rob't Hart

Nathalie de Vries MVRDV
holanda

Produção atual do escritório MVRDV

***Software Functionmixer*, 2001, com cThrough (empresa de computação gráfica)**

O *software* urbano *Funcionmixer* constrói um mundo abstrato representando a cidade à nossa volta. Com esse mundo é possível otimizar a organização dos usos urbanos em objetivos que lhe são colocados. Para isso, o *software* necessita de muitas informações específicas. Os usuários do *software* definem o limite volumétrico da cidade e sua capacidade. Os conteúdos são estabelecidos a partir de uma legenda programável que distingue as funções. Depois de definido o mundo abstrato, os parâmetros (objetivos) são colocados para a otimização. Cada parâmetro tem uma função bem específica no posicionamento dos usos. Os usuários do *software* podem combinar parâmetros e mudar sua relevância, permitindo cidades diferentes emergirem através da otimização. Esse processo pode ser acompanhado na tela, onde a cidade é continuamente *renderizada* como um modelo 3D de realidade virtual. Um diagrama numérico objetivamente avalia as cidades otimizadas. Através do uso de parâmetros espaciais, econômicos, ambientais e sociológicos, diversos meio ambientes inesperados podem ser gerados com o paradigma da mistura de usos.

Residência Silo no IJ, Amsterdã, Holanda, 2002

Um programa multifuncional de residências, trabalho, espaços comerciais e públicos, foi organizado em um edifício de 20 metros de largura localizado próximo ao rio. A demanda de uma grande variedade de espaços pelo governo, clientes, prefeitura, residentes e colaboradores no projeto o levou a ter grande diferenciação. Por outro lado, para contrabalançar o aumento da individualidade, os diferentes tipos de espaços foram agrupados em pequenas vizinhanças. Isso pode ser notado pelo uso do mesmo material em suas fachadas e pelas cores específicas usadas no seu interior. Além da diversidade da superfície e posição que diferenciam cada residência, existem também variações na orientação, proporção e caminhos e locais semipúblicos.

Centro Cultural Matsudai, Nigata, Japão, 2003

Matsudai está localizada nas montanhas no município de Nigata. Os verões são quentes e úmidos e durante o inverno a região é coberta por uma camada de neve de 3 metros de espessura. Uma vez a cada três anos durante o verão, acontece na região uma Trienal de Arte, e o edifício opera como palco principal dos eventos realizados. O edifício suspenso do chão permite que a área sob o prédio esteja livre para a neve no inverno e seja uma praça seca e sombreada durante o verão. Ao mesmo tempo o centro se torna mais presente e visível para o povoado localizado do outro lado da linha do trem. A ponte em forma de *pernas* que permite o acesso das pessoas vindas de diversas direções sustenta o edifício. As pernas formam a estrutura física do prédio e geram uma coluna de espaço livre na parte inferior. Os espaços das pernas não sofrem com as condições climáticas e cortam o prédio dividindo os espaços com diferentes usos. O edifício suspenso também evita em parte a pressão lateral da neve. Na cobertura, uma paisagem no formato de *paisagem rochosa* é formada pela força da dinâmica das pontes em forma de pernas. É um bonito playground e mirante para as montanhas e para as obras artísticas.

[Palestra 03, Fundação Bienal, 15 de setembro de 2003]

Benedetta Tagliabue EMBT Arquitectos
espanha

Parlamento Escocês em obras, Edimburgo, Escócia.
Arquiteta Benedetta Tagliabue – EMBT Arquitetos Associados
Foto Ken Withcombe

Natureza e artifício

Andorra

A arquitetura de Andorra é a montanha. A cidade, em sua origem, foi construída com as pedras da mesma montanha. A praça a ser projetada no centro importante deve ser um lugar de descanso no movimento constante da rua. Imaginamos que a pavimentação, que é uma parte muito importante do projeto urbanístico, poderia ser quase a projeção deste movimento contínuo de fluxos, parecido com as linhas deixadas pelos esquiadores na neve fresca. As estruturas que se encontram atrás dos cartazes publicitários tinham que ser simples, em ferro, parecidas com as estruturas industriais, interrompendo o mínimo possível as visuais.

Novo Parlamento da Escócia

Um Parlamento onde decidimos não projetar somente um edifício, mas uma série de pavilhões, onde ainda existem pedaços da história da cidade, tirando partido dos movimentos do terreno e da paisagem. O projeto está quase totalmente baseado no tema da terra. Em Edimburgo a presença da natureza é muito forte e um Parlamento precisa ser um símbolo muito forte da unidade do país. A segurança, problema de difícil solução, levou a uma solução de dois níveis: a entrada do público por debaixo das pérgulas e a dos parlamentares em um nível diferente. A sala de debate é uma estrutura leve de madeira, construída como um barco, levando em conta a tradição naval da cidade. O edifício restante é muito complexo, muito denso, onde existem zonas com referências históricas e zonas para os parlamentares. Decidimos que a fachada podia ser formada pelos rostos dos parlamentares representados nas janelas. Dessa forma o Parlamento quase se representa diretamente em sua fachada. Na fachada restante do edifício desenhamos painéis para criar uma profundidade na superfície da parede externa. Esses painéis são como cortinas que filtram a entrada de luz no interior do edifício, onde há janelas através das quais se pode redescobrir o entorno.

Banco Lungomare

No processo de conceituar e conceber o Banco Lungomare, fazíamos a seguinte migração conceitual: do mar e do natural para o artificial; da cidade e de sua urgência até o lúdico. Gostávamos de pensar que do mar e de suas morfologias naturais – dunas, conchas, areia, etc. – podíamos apreender e estabelecer formas e linguagens básicas que já existem.

Parque da Diagonal Mar

O Parque da Diagonal Mar é uma grande área livre que se estende relacionando a avenida Diagonal e a praia. Os primeiros croquis para o projeto são linhas que selecionam caminhos de energia, fluxos que somente mais tarde se transformaram em caminhos, montanhas, água e espaços infantis. A presença da água caracteriza a vegetação da zona. De um modo resumido, a vegetação se desenvolve seguindo o caráter de marismas próximas do mar e do lago, para ir crescendo em altura e em densidade até chegar às ruas do entorno.Nesses lugares uma série de grandes vasos de cerâmica se une com a vegetação existente e com os elementos parecidos aos de um jardim de uma casa, como bancos, pérgulas, bar.

Torre para gás natural

A torre tem a verticalidade de um edifício de escritórios e a fragmentação de uma série de construções de diferentes escalas que formam, ao final, um volume unitário. O tratamento das fachadas segue um critério parecido. Temos uma série de grandes janelas que são percebidas de muito perto, enquanto um tratamento volumétrico indiferenciado que protege o edifício do sol e do ruído mostra volumes abstratos que se confundem com as outras construções ao longo do cinturão.

[Debate 01, Fundação Bienal, 15 de setembro de 2003. Debatedores: Ângelo Bucci e Lucio Gomes Machado]

Casa de Cultura de Graz, Áustria, 2003. Arquiteto Peter Cook

Peter Cook

inglaterra

Mecanismos líricos

Nesta palestra, o arquiteto revisitou sua própria obra, desde os tempos da Archigram até sua última obra, a Casa de Cultura de Graz, Áustria, primeiro prêmio em concurso, prestes a ser inaugurada. Cook apresentou inúmeras provocações e recomendações aos jovens arquitetos e estudantes de arquitetura sobre as formas de projetar e pensar a própria arquitetura, questionando a relação entre arquitetura, cidade, a sociedade ocidental baseada no lazer, a mídia e o consumo de massa. Desta forma, com maciça presença no auditório na Bienal, confirmou-se a grande importância de estabelecer espaços, tais como o do Fórum, para enriquecer a discussão sobre o fazer arquitetônico e as possibilidades da disciplina neste século XXI.

[Palestra 04, Fundação Bienal, 15 de setembro de 2003]

Projeto de remodelação de conjunto habitacional em Lorient, França. Arquitetos Roland Castro e Sophie Denissof
Foto Nicolas Borel

Roland Castro

frança

O arquiteto

Onde vislumbramos um personagem insólito obstinado em fazer sentido no império dos signos, e a contribuir com tempo no reino do instante. O arquiteto pode constatar uma crise grave do visível e da representação política da democracia; ou ainda, uma crise dos empreendedores, exprimindo-se na incapacidade do poder em agir sobre a cidade. A República, mastigada e roída pelos corporativismos, e a captação do poder que exerce uma tecnocracia sem outras competências que as suas próprias, obriga o arquiteto a sair do âmbito tradicional do exercício de sua arte. O arquiteto é um artista que intervém sobre a vida dos homens e a organização de sua cidade. Ele é como todos os artistas, frágil e paranóico, e quando se trata do objeto de sua ação, o arquiteto é, além disso, megalomaníaco. Os arquitetos são como camponeses que disputam a mesma terra. A cidade está repleta de um cemitério de suas imagens ausentes, projetos os quais sonharam e desenharam, e que foram realizados por outros. É por isso que têm uma louca dificuldade em estabelecer uma comunidade. Edificar, construir, permite escapar à morte, e lhes permite dar tempo ao tempo. Os arquitetos têm então o poder espantoso e fascinante, como os escritores, de produzir o que é simbólico. Todos os arquitetos se inscrevem nessa história desde sempre. Algo mudou recentemente, o arquiteto foi submetido a pensar na inteligência de seu projeto e de se transformar em sócios investidores em razão da crise da demanda. Isso é evidentemente uma subversão. Sobre o plano arquitetônico, já havia acontecido uma revolução. Até os anos trinta, reinava no trabalho arquitetônico a regra. Mas a partir dos anos trinta, aparece o verso livre. E nós arquitetos que resistem ao desastre do pensamento, constata-se uma maneira pessoal de trabalhar a tal ponto em que, nos dias de hoje, os bons edifícios que passam publicamente como bons, se parecem com seus autores. Na nossa época do "tudo é possível" e do "tudo é autorizado" sobre o plano formal, pode-se construir edifícios quase totalmente transparentes, como podemos também fabricar a caverna. Contudo, nesta época a questão central para o arquiteto não é tanto sobre essa nova liberdade adquirida nos planos artístico e técnico, mas sobretudo sobre a necessidade de se comportar como um intelectual, obstinado em deixar visível, sensível, habitável a urbanidade. Existe então um arquiteto novo, o mais livre que jamais existiu na história sobre o plano formal, em detrimento da angústia que impõe e implica essa liberdade. Assim, se admitimos que o desígnio e o desenho da Metrópole colocam a questão mais séria sobre a qual se deve afrontar a humanidade, então temos que olhar também pelo lado da representação política. O campo municipal é o único, ou quase, onde existem ainda vínculos entre representantes e representados. A ação municipal está ligada a uma representação política e ao empreendimento. Os homens políticos que sobreviverão à crise da representação política serão os construtores. Se o direito à urbanidade deve ser o fundamento novo do laço social, e o aperfeiçoamento visível da ordem jurídica democrática, é necessário que haja, na ordem do político, intelectuais fundadores. Porque se a política se torna um campo fechado de lutas sem lugar, a cidade fatalmente se tornará o lugar de uma guerra aparente: a civilidade estará ausente ou reservada a certos bairros. Tendo a questão da civilização urbana como a questão central de nosso tempo, é preciso representantes dos cidadãos capazes de responder a esse problema. Estranha e nova história dos arquitetos obrigados, por causa do vazio político, a se colocarem como intelectuais, e os homens políticos forçados a se transformar em artistas, tendo o risco de perder ali o seu espaço político.

[Debate 04, Fundação Bienal, 16 de setembro de 2003. Debatedor: Demetre Anastassakis]

Riek Bakker BVR
holanda

Uma visão sobre o desenvolvimento urbano

Como especialista em desenvolvimento urbano, a experiência que tive com o porto de Roterdã como diretora de desenvolvimento urbano me influenciou muito. Como responsável por um grande departamento urbano, encarregada do desenvolvimento estratégico de uma grande cidade na Holanda, que também é um porto mundial, tive que ser versátil. Com base nessa experiência e trabalhando concretamente em projetos por quase dez anos em uma agência de consultoria privada, desenvolvi a seguinte visão. Em cada atribuição deve-se prever um resultado onde sua qualidade é o principal elemento, e ele deve ser alcançado. A primeira coisa que deve ser feita é definir um objetivo em comum. Para isso é necessário definir o círculo de pessoas envolvidas nesse objetivo e conhecer seus interesses. A união de interesses é, definitivamente, a única maneira de obter sucesso. Designers devem usar todo seu conhecimento e capacidade de transformar a demanda social em soluções relevantes dentro do possível. O círculo de parcerias envolvidas deve se investigado assim como suas possibilidades, para definir um bom processo de projeto, antes de projetar. A solução encontrada deve responder aos problemas fundamentais. O processo de desenvolvimento urbano sempre considera o planejamento da área e somente muito depois o desenvolvimento do projeto. Na realização o desenvolvimento da área é a primeira coisa que conta.Para formular um desenvolvimento apropriado da área, é necessário ter uma penetração estratégica no funcionamento de vários de níveis de certa área: local, distrito, regional, nacional. Um bom resultado que seja possível, economicamente viável, e qualitativamente sustentável é sempre integral. Isso significa que todos os processos adjacentes ou circunstâncias devem estar envolvidos nessa atribuição. O trabalho de desenvolvimento urbano é em grande extensão território pessoal, realmente interessa às pessoas. Ter atenção e cuidado com o poder organizador do processo e conteúdo são procedimentos de grande importância. Para o sucesso é necessária, em primeiro lugar, uma abordagem integral. Isso se refere à programação, procedimentos, planejamento espacial e aos envolvidos os quais devem trazer algo relacionado. Envolver as esferas pública e privada e juntá-las no primeiro estágio possível é essencial. Organizar a ambição coletiva entre essas partes é uma importante chave para o sucesso. Aqui diversas noções fundamentais estão unidas: qualidade, coerência, sinergia e equalização financeira. Qualidade, claramente definida, produz uma ambição durável principalmente para os longos períodos de planejamento. Assim, melhores serão os resultados e maior o lucro, no sentido de resultado público e financeiro. Tais efeitos de sinergia também produzem possibilidades para criar imóveis comerciais assim como áreas públicas, instalações culturais e infra-estrutura pública. A equalização financeira é uma maneira de financiar as partes desfavoráveis, mas também de organizar qualidade a todos os participantes. O envolvimento de esfera pública e privada fazendo sólidas alianças é essencial ao desenvolvimento urbano. Em Roterdã a cidade adquiriu uma longa tradição nesse campo.O traço característico disso é que a autoridade local assegura sua condição pública e normativa. Ao mesmo tempo a municipalidade toma uma atitude igual à de um parceiro empreendedor com sua própria contribuição. Portanto em Roterdã não há zonas de empreendimento, mas há uma união público-privado, integral e não isolada, começando do entendimento que divide interesses atende a interesses comuns.

[Palestra 05, Universidade Presbiteriana Mackenzie, 17 de setembro de 2003]

Vista aérea do setor Whole do Kop van Zuid, Roterdã, Holanda. Projeto urbanístico de Riek Bakker

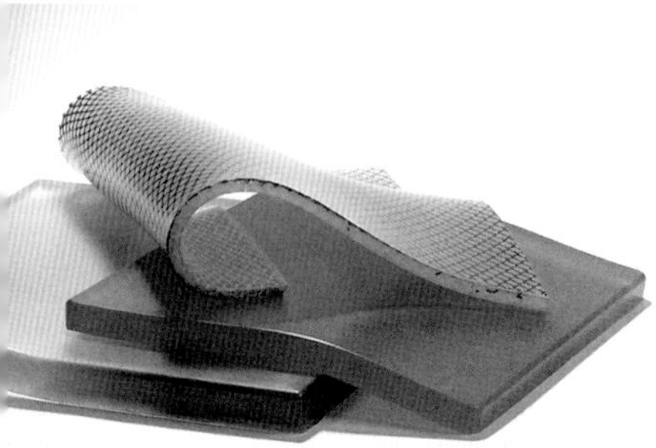

Poliuretano flexível.
Fabricante Technogel.
Uso em mobiliário e interiores

Els Zijlstra Materia

holanda

Materiais do futuro para arquitetura e design

Sem materiais não há produtos, não há edifícios. Materiais representam tanto os valores racionais como os emocionais em um projeto. Ao lado das especificações técnicas, os materiais também dão um sentido à inspiração dos sentidos.

Dentro do campo da arquitetura e do design, aspectos técnicos e estéticos evoluíram fortemente nas últimas duas décadas. O leque de possibilidades técnicas em materiais de engenharia cresceu substancialmente e o apelo estético dos materiais tem sido reconhecido cada vez mais como uma oportunidade de projeto. Nos últimos dez anos, a impressão genuína de materiais naturais foi enfatizada, por exemplo, na utilização de estruturas em madeira, aço *corten*, cobre oxidado, zinco, tijolos lavados e concreto de cura rápida. No entanto, esse desenvolvimento se aproxima de um fim. Desenvolvimentos recentes entre arquitetos e designers mostram um aumento no interesse de diferentes tipos de materiais e técnicas novas, interdisciplinares e surpreendentes, cujas idéias e conceitos ainda estão por se firmar.

Essas idéias e conceitos sempre encontram sua origem em circunstâncias econômicas e sociais. Temas futuros são, entre outros: *Meio Ambiente*. Diminuição no uso de materiais, sustentabilidade e reciclagem de ciclo de vida, produtos e materiais, eficiência energética; *Saúde pública*. Conforto, segurança, condições de trabalho, limpeza e ambientes de moradia e de trabalho saudáveis; *Economia*. Industrialização, flexibilidade na construção, uso flexível de meios urbanos, design para reaproveitamento de desmanche, aumento de qualidade, rapidez na construção e produção; *Estilo de vida*. Famílias com novos hábitos, recreação, esportes, habitação flexível.

A palestra consistiu de duas partes: materiais e conceitos. *Materiais*. Essa parte enfocou materiais arrebatadores e voltados para o futuro, além da necessidade de experimentar e inovar. Por volta de oitenta exemplos de materiais foram mostrados nas mais diversas aplicações. *Conceitos*. A segunda parte mostrou exemplos de projetos internacionais atuais com esse tipo de materiais. Uma chapa almofadada da ETFE, uma parte de um edifício com fachada em metal, fotografias impressas em concreto, exemplos de concreto com aditivos surpreendentes, uma construção em pano de vidro, papelão como material de construção, etc. Essas aplicações selecionadas transmitiram a diversidade de pontos de vista apresentando exemplos internacionais e entrevistas com excelentes *designers* e especialistas em materiais.

[Palestra 06, Fundação Bienal, 17 de setembro de 2003]

Assentamento informal no distrito de Alexandra, Johanesburgo, 2002
Foto Sally Gaule

Henning Rasmuss

áfrica do sul

Johanesburgo agora

Em abril de 1994 o primeiro governo democrático da África do Sul foi eleito. Quase todos os aspectos da vida na África do Sul pós-*apartheid* precisavam ser mudados. O princípio da igualdade foi profundamente valorizado. Também houve mudanças físicas significativas. A nova administração encontrava-se numa paisagem física que havia sido traçada para manter as pessoas separadas. O projeto de integração física operou grandes mudanças no ambiente construído, particularmente na principal cidade do país, Johanesburgo, o motor econômico e cultural da África. *Johanesburgo AGORA*, uma exposição para a V BIA – Bienal Internacional de Arquitetura e Design de São Paulo, investiga sobre como nos primeiros dez anos de democracia o governo, a atividade comercial e a sociedade civil mudaram de rumos, remodelando sua cidade. Johanesburgo é de longe a mais nova cidade na exposição *Metrópoles*. O ouro foi descoberto em 1886. A cidade cresceu rapidamente de 3.000 mineiros em 1887 para 250.000 pessoas em 1914, e 3,2 milhões hoje. Quanto à segregação, as primeiras remoções forçadas ocorreram em 1903, após o aparecimento da peste bubônica em Coolie, uma favela próxima ao distrito central de negócios (DCN). Todos os moradores negros da localidade foram transferidos para Klipspruit, a mais de 10 km de distância, hoje parte de Soweto. Em 1913, os negros foram impedidos de possuir terras. Com a Revolta de Rand de 1923, uniões multirraciais foram proibidas. Em 1948 o governo formalizou a política do *apartheid*, com conseqüências devastadoras. Permitiu-se a africanos viverem em Johanesburgo apenas provisoriamente, com seu direito de permanência definitivo submetido a territórios criados pelo regime do *apartheid*. Os negros foram alojados em cidades-dormitório situadas atrás das colinas, a 10 km do centro da cidade, onde os brancos não podiam vê-los. A mudança mais fundamental provavelmente foi em nossa concepção de cidadania: da discriminação do *apartheid*, nos mudamos para um modelo de sociedade inclusiva. Com esta mudança nas percepções de propriedade da cidade vieram imensas mudanças na paisagem física, assim como as mudanças políticas que se manifestaram no espaço. Governo, atividade empresarial e sociedade civil foram todos desafiados a redefinir suas posições na sociedade e suas manifestações na paisagem física. Uma revolução pacífica ocorreu nos últimos dez anos, integrando gradualmente uma sociedade anteriormente muito fragmentada; Johanesburgo cresceu como o motor econômico da África. Alinhada com tendências urbanas internacionais, Johanesburgo experimentou a partir de 1960 um lento mas constante êxodo do DCN: em 1959 foi criada Randsburg e dez anos depois, Sandton. Essas duas áreas, juntamente com outros pequenos centros, cresceram como centros separados de negócios e comércio varejista. Sandton é atualmente o centro comercial e financeiro da África. Com o fim do apartheid, Johanesburgo emergiu como uma cidade multi-nodal. O centro original, o DCN, deteriorou-se rapidamente a partir de meados de 1980. Os limites metropolitanos de Johanesburgo foram corrigidos em 2002 para absorver a riqueza dos subúrbios do norte da cidade. O governo também pôs em prática um conjunto de programas para estabilizar o declínio e reabilitar os centros dos dois principais distritos da cidade, Soweto e Alexandra. A revitalização do DCN progride desde 1998. O governo e o grande negócio estão trabalhando juntos para promover uma abordagem unificada dos problemas da cidade.

[Palestra 07, Fundação Bienal, 18 de setembro de 2003]

Christian de Portzamparc
frança

Arquitetura e contexto urbano

A obra do arquiteto foi dividida em dois módulos, de acordo com a inserção dos edifícios no contexto urbano: "Presença" e "Abertura / Fragmentação".Em "Presença" podemos destacar projetos cujo fundamento foi marcar a presença do edifício dentro do contexto urbano em que ele está inserido. Dentro dessa idéia podemos destacar o projeto da Torre da Caixa D'Água em Marne-la-Valle, da década de 1970, o projeto para o concurso da Ópera da Bastilha (1983), os Palácios do Congresso (1994) e da Justiça (1999), e diversas torres: Crédit Lyonnais, em Lille (1995), Bandäi, em Tóquio (1994), LVMH, em Nova York (1995), Société Générale, em La Défense – Paris (2001) e Frankfurt (2002). No módulo "Abertura / Fragmento", os projetos também foram pensados em relação ao espaço urbano, porém como pequeno fragmento de cidade ou como espaço que se abre à cidade (conceito de "quadra aberta"). A partir desse fundamento podemos destacar os seguintes projetos: Hautes Formes, a Cité de la Musique no Parque de La Villette e a Praça Nationale, todos em Paris, a Biblioteca de Québec, em Montréal – Canadá, o Projeto Urbano Atlanpôle, em Nantes, Projeto Urbano do Eixo Tamanduateí, em Santo André, e Projeto Urbano para o Setor Masséna, em Paris. Finalizando, foi apresentado o projeto para a Cidade de Música na Barra da Tijuca, Rio de Janeiro.

[Palestra 08, Fundação Bienal, 19 de setembro de 2003]

Projeto de remodelação de conjunto habitacional, Paris, França. Arquiteto Christian de Portzamparc
Foto Nicolas Borel

José Mateus ARX
portugal

ARX Portugal – percurso

Através da apresentação breve de projetos que incluem encomendas privadas e públicas, executados entre 1994 e 2002, é possivel conhecer a consolidação progressiva do entendimento da arquitetura do escritório ARX Portugal. Escola Superior de Ciências Empresariais de Setúbal
A escola foi projetada a partir de muitos estudos de implantação no terreno. A implantação definiu sua forma composta de prolongações do edifício que permitiram a otimização do espaço. As salas de aula são dispostas nessas prolongações e se unem através de espaços comuns aos estudantes. Esses setores possuem pé direito duplo e passarelas.

Exposição no Pavilhão do Conhecimento dos Mares da Expo 98 em Lisboa

A exposição foi pensada para atender um grande número de visitantes. Espaços de circulação foram aproveitados para exibição de maneira a não prejudicar o fluxo de pessoas através de projeções consecutivas. Para expor os instrumentos náuticos, foram desenhados bonecos que sugerem a função e o modo de manipulação dos objetos. Na ambientação foram reproduzidos os monstros marítimos que se acreditavam existir e também o relevo do fundo do oceano. Foi também reproduzida no saguão do pavilhão, a estrutura de embarcações do modo em que eram construídas.

Museu Marítimo de Ílhavo

Trata-se de uma extensão e recuperação de edifício existente construído como museu nos anos 70 na pequena comunidade de Ílhavo. Foi sugerida a sua demolição, porém os custos não previam a construção de edifícios novos. Ao invés de lamentar o fato do entorno ser feio, como se de uma fatalidade se tratasse, interessou aos arquitetos a possibilidade de trabalhar com matérias dissonantes que quando justapostas

Casa em Malveira, região de Mafra, Portugal. Projeto ARX Portugal
Foto Fernando Guerra

pudessem contrariar a falta de consistência urbana. A arquitetura do novo Museu encontra então os seus primeiros fundamentos no modo eventualmente complacente mas reativo como encara o seu contexto. O espaço urbano frente à entrada do museu foi recaracterizado num trabalho conjunto com o arquiteto João Gomes da Silva. O desenho tira partido da defasagem de cotas entre a rua e o interior produzindo uma ilusória oscilação tectônica do terreno. O reboco branco, o zinco cinzento e a ardósia preta são materiais e cores que asseguram potencial cenográfico ativo/ neutro num registro sóbrio. Foi construída uma praça adequada ao caráter institucional do edifício, que prolonga-se em passeios laterais terminando no final do lote, já que frente às casas seguintes, a inexistência de passeios obriga os transeuntes a disputar a estrada com os automóveis. O edifício pré-existente foi completamente diluído nesta nova realidade. Dele, só podemos hoje encontrar alguns vestígios.

Casa em Grândola

Casa projetada para um loteamento de terrenos justapostos com recuos mínimos reduzidos. O principal partido do projeto é o jogo de cheios e vazios de acordo com a face do terreno. Dois blocos em "l" deslocados formam o corpo da casa de maneira a valorizar a luz e sombra. A casa é voltada para dentro com pátio e jardim interno, o que prioriza o conforto e privacidade.

Casa na Malveira

O projeto é a extensão de uma residência existente. Essa ampliação pôde tirar proveito da localização da casa, em ponto estratégico, com ampla vista de toda região. Uma nova tipologia foi inserida de modo a conviver com a antiga casa.

Casa no Romeirão

O projeto foi implantado perpendicularmente às curvas de nível do terreno de modo a aproveitar a vista do local e se relacionar com uma fonte de água existente. Os peitoris das varandas foram substituídos por bancos, de onde se pode contemplar a paisagem. Pátios internos preservam a privacidade do ambiente interno. A casa, ao mesmo tempo em que se relaciona com o seu contexto através de sua implantação, se destaca da natureza circundante.

[Palestra 09, CCBB-SP, 20 de setembro de 2003]

Great Court do Museu Britânico.
Projeto Norman Foster and Partners
Foto Nigel Young

Filomena Russo Foster and Partners

inglaterra

Great Court do Museu Britânico (1994/2000)

O pátio interno no centro do Museu Britânico foi por muito tempo um dos espaços perdidos de Londres. Originalmente era um jardim aberto, porém no século 19 foi ocupado pela Sala de Leitura circular e os seus depósitos de livros. Sem este espaço, o Museu era como uma cidade sem um parque. Este projeto trata de sua reinvenção.Em termos de número de visitantes – até seis milhões anualmente – o Museu Britânico é mais visitado do que o Louvre em Paris ou o Metropolitan Museum of Art – MoMA, em Nova York. Na ausência de um sistema de circulação centralizada, este nível de popularidade causou um congestionamento crítico através do edifício e criou uma experiência frustrante para o público que o visitava. A saída da Biblioteca Britânica para St Pancras em março de 1998 proporcionou a oportunidade de recapturar o pátio interno e melhoraras instalações do Museu para as futuras gerações. A desordem dos depósitos de livros que preenchiam o pátio interno foi removida criando um novo espaço publico no coração do Museu; a Sala de Leitura foi restaurada e utilizada como um centro de informações e biblioteca de culturas do mundo. Pela primeira vez na sua história este espaço magnífico – cuja cúpula é maior do que a da catedral de St Paul – é aberto ao público. O *Great Court* é acessível através do nível principal do Museu e se interliga com as galerias localizadas ao seu redor. Dentro deste espaço encontram-se pontos de informação, uma livraria e um café. Duas amplas escadas ao redor da Sala de Leitura dão acesso a dois níveis de mezanino, em forma de elipse, com uma galeria de exposição temporária e um restaurante no nível mais alto. Abaixo do nível do *Great Court* estão as *Sainsbury African Galleries*, um centro de educação com dois auditórios e novas instalações para crianças em idade escolar.A cobertura de vidro que proporciona este espaço combina sofisticada engenharia e economia de forma. Esta única geometria triangulada foi projetada para vencer o vão irregular entre a Sala de Leitura circular e as fachadas restauradas do pátio interno. A treliça de aço forma a estrutura primária e o suporte para os painéis de vidro, que foram projetados para maximizar a luz natural e reduzir a absorção de radiação solar.O *Great Court* é o maior espaço público coberto na Europa. Como uma praça cultural, faz parte de uma nova rota de pedestres partindo da Biblioteca Britânica ao norte da cidade, até Covent Garden e o rio, ao sul do Museu. Para complementar o *Great Court*, o pátio de entrada do Museu foi restaurado, possibilitando o acesso de pedestres e formando um novo espaço publico. Ambos estão abertos ao público de manhã até tarde da noite, criando um espaço de lazer para Londres.

[Palestra 10, CCBB-SP, 20 de setembro de 2003]

Eleuza Lores Infraero
brasil

Aeroportos brasileiros

A apresentação se desenvolveu primeiramente numa avaliação histórica da implantação dos principais aeroportos brasileiros e seus diferentes contextos urbanísticos, configurados em suas evoluções, como pólos atrativos de novas conformações. Foram apresentadas as condutas no passado quando do planejamento de novos sítios e as ações que nortearam seus desenvolvimentos, em um paralelo com o crescimento urbano das grandes capitais do País. Sob esse desenvolvimento, foram levantadas as conseqüências dessas novas inserções e os conflitos gerados pelo crescimento indevido das malhas urbanas em busca de novas e melhores infra-estruturas que acompanhassem esse tipo de empreendimento, além de benefícios sociais intrínsecos ao incremento de atividades e serviços.Foram também explanadas as influências sócio-econômicas dos complexos aeroportuários sobre as comunidades circunvizinhas e como fatores de desenvolvimento importantes em cidades de diferentes portes. A mudança na percepção de sua importância, tornando-os marcos arquitetônicos e de integração humana, adicionados aos importantes requisitos operacionais que nortearam por décadas seus desenvolvimentos.Foi ressaltado ainda que o livre desenvolvimento plástico das formas e construtos está intrinsecamente ligado às limitações operacionais, de espaço físico, econômicas, e de características de uso, condicionantes de construções aeroportuárias. O Terminal de Passageiros e a Torre de Controle são edificações em que a livre criação pode conformar a concepção, o partido arquitetônico e, portanto, o marco que representa.As novas tendências para minimizar os impactos já gerados pela evolução humana em torno dos aeroportos centrais, a implementação de modernos conceitos comerciais que facilitam o acesso a serviços, lazer, melhorando a qualidade de vida e valorizando mais a escala humana, as relações sociais, e o respeito ao meio ambiente. Tendências, enfim, que contornam características negativas das relações entre aeroporto e seu entorno imediato, freqüentemente questionados e debatidos ao longo dos últimos anos. Alternativas recentes adotadas pela Empresa no planejamento do desenvolvimento de seus aeroportos aprimorando-os e adaptando-os às metrópoles e cidades nas quais se inserem.Por fim, os principais aeroportos construídos, reformados e em construção que conformam a síntese evolutiva da Infraero e das tendências mundiais em termos de tecnologia e conteúdo programático para áreas aeroportuárias. A apresentação de conceitos, partidos e concepções arquitetônicas que transformam nossa Empresa em uma referência nacional para a integração social, das cidades e regiões do nosso vasto território.

[Palestra 11, Fundação Bienal, 20 de setembro de 2003]

Novo aeroporto de Vitória. Projeto de Barbosa & Corbucci Arquitetos Associados

Casa de Cultura de Graz, Áustria, 2003. Arquiteto Peter Cook

Benedetta Tagliabue

Nascida em Milão, formou-se pelo *Istituto Universitario d'Architettura di Venezia* (1989). Colabora com o arquiteto Enric Miralles desde 1990, com o qual, em 1993, formou o *Enric Miralles y Benedetta Tagliabue Arquitectos Asociados* – EMBT, escritório que dirige sozinha desde o falecimento do sócio. Dentre os principais projetos, destaque para o Parlamento de Edimburgo na Escócia, a ampliação do IUAV, o mercado de Santa Caterina em Barcelona, a nova sede de Gás Natural em Barcelona, o Campus Universitário de Vigo na Espanha, o projeto de urbanização da Avenida Merixell em Andorra e o projeto para o porto de Hamburgo na Alemanha. Recentemente o estúdio inaugurou o Parque Diagonal Mar em Barcelona, o Parque dels Colors em Mollet del Valles, a Prefeitura de Utrecht na Holanda e a Escola de Música de Hamburgo na Alemanha. A obra do estúdio foi recentemente reconhecida com vários prêmios, como o Leão de Ouro da Biennale di Venezia de 1996 e o Prêmio Nacional de Arquitetura de 1995.

Christian de Portzamparc

Nascido em Casablanca, graduou-se na escola de Belas Artes de Paris em 1969. Em 1984 ganhou o concurso da Cidade da Música em Paris, inaugurada em 1995, mesmo ano em que recebeu o Prêmio Pritzker pelo conjunto da obra. É autor da torre Crédit Lyonnais para o Euralille (Lille, 1995), da nova ampliação do Museu Bourdelle (1988/1992) em Paris, de edifício habitacional na ZAC Bercy (1991/1994) e de ampliação de 40.000m_ no Palácio de Congresso em Paris (1999). Entre suas obras atuais, destaque para a embaixada da França em Berlim, o novo espaço cultural de Rennes da Bretanha, um conjunto de habitações em Grenoble, um centro urbano na cidade de Almera na Holanda e a construção da torre da Société Générale em Paris La Défense. Em 1997, venceu o concurso internacional para as salas filarmônicas de Luxemburgo, que serão concluídas em 2005. Desde 2002 encontra-se em processo de avaliação o projeto da Cidade da Música para a cidade do Rio de Janeiro.

Eleuza Lores

Nascida no Rio Grande do Sul, é formada em Arquitetura pela Faculdade de Arquitetura e Urbanismo Silva e Souza, no Rio de Janeiro. Fez cursos de Treinamento Técnico na Área de Planejamento de Redes de Aeroportos, EUA e Canadá, MBA em Programa de Desenvolvimento de Executivos em Gestão Empresarial (Infraero/USP), Gerenciamento de Aeroportos, Aeroporto e Meio Ambiente (EIA/RIMA/IAC-RJ) e Programa de Desenvolvimento de Executivos (FGV). Na Infraero desde 1985, é a atual Diretora de Engenharia. Dentre seus principais trabalhos desenvolvidos na empresa, destaque para a participação na elaboração de Planos Diretores dos principais aeroportos do Brasil, gerenciamento dos projetos de ampliação dos Terminais de Passageiros dos Aeroportos de Campinas, Congonhas, Guarulhos, Corumbá, Campo Grande e Brasília, participação nos projetos de ampliação e implantação dos Terminais de Carga dos Aeroportos de Guarulhos e Campinas, e gerenciamento das obras dos aeroportos de São Paulo e de Mato Grosso do Sul, administrados pela Infraero entre 1996 e 2000.

Els Zijlstra

Formada pelas Universidades de Delft e Eindhoven em tecnologia de edifícios, na Holanda, é fundadora de Materia, escritório que se dedica à coleta de materiais (dados e amostras) e difusão do conhecimento especializado em palestras, seminários, exposições, artigos e publicações. A seleção de materiais está fundada nos apelos técnico e estético, e no seu uso por arquitetos, designers e indústria. O caráter sensorial, cor, estrutura, textura, temperatura, brilho, qualidades holográficas, habilidades termocromáticas, fotocromáticas e eletrocromáticas, suavidade, elasticidade, magnetismo, odor: são aspectos relevantes para uma eventual experiência estética de material, produto eespaço em questão.

Filomena Russo

Nascida em São Paulo, graduou-se em Arquitetura e Urbanismo pela Faculdade de Arquitetura e Urbanismo da Universidade de São Paulo, em 1986. Trabalhou em 1989 no Escritório de Massimiliano Fuksas em Paris. Em Londres, onde obteve Diploma de Arquitetura e RIBA Partes 2 e 3 e é arquiteta registrada ARB-UK desde 2001, trabalhou no escritório Nicholas Grimshaw and Partners em 1994. Desde 1995 trabalha em Foster and Partners, onde atualmente é arquiteta associada. Durante seis anos, até início de 2001, trabalhou desde a concepção até a implantação da renovação do Museu Britânico, tendo sido a arquiteta responsável pelo design, fabricação e construção da cobertura de vidro da *Great Court*. Desde o início de 2001 ela trabalha na renovação e extensão da Asprey, na sede desta joalheria localizada na New Bond Street, em Londres.

Henning Rasmuss

Nascido em Joanesburgo, concluiu o curso de arquitetura na Universidade de Witwatersrand. Desde outubro 1997 é diretor do Paragon Architects (Pty.) Ltd., associado a Anthony Orelowitz. Escreve sobre arquitetura e cidades, conduz *city tours* em Joanesburgo e participa de palestras e seminários como convidado. É diretor de documentação e design de projetos comerciais e residenciais, sendo sua prática baseada em uma cultura de design de excelência para o cliente e habilidade para trabalhar com flexibilidade e profissionalismo em qualquer tipo de equipe de projeto. Dedicado a trabalhos comunitários, também tem experiência profissional em Hong Kong e Berlim, onde obteve sólido repertório na organização e estruturação de grandes projetos.

Jorge Mário Jáuregui

Graduado pela Faculdade de Arquitetura da Universidade Nacional de Rosário, Argentina. Radicado desde 1978 no Rio de Janeiro, foi indicado para o Prêmio Mies Van der Rohe de Arquitetura Latino-americana da Fundação Mies van der Rohe, Barcelona, em 1999. Foi o ganhador do Grande Prêmio da IV Bienal Internacional de Arquitetura de São Paulo (1999), Sixth Veronica Rudge Green Prize in Urban Design, Harvard University, Graduate School of Design (2000) e Primeiro Prêmio de Pesquisa da III Bienal Ibero-americana de Arquitetura, Santiago do Chile (2002). Tem realizados projetos, com implicações urbanísticas, arquitetônicas e sociais, para o Programa Favela Bairro da Prefeitura do Rio de Janeiro Participou de workshops e bienais no Brasil, Argentina, Uruguai, México, Venezuela, República Dominicana, Portugal, Espanha, Áustria, Alemanha e Boston. Dentre os projetos executados, destaque para a reurbanização da rua do Catete (programa Rio-Cidade), urbanização de 20 favelas em diferentes locais da cidade (programa Favela-Bairro) e o Mobiliário Urbano para a cidade do Rio de Janeiro.

José Paulo Mateus

Formado pela Faculdade de Arquitetura da Universidade Técnica de Lisboa em 1986, trabalhou em diversos escritórios entre 1983 e 1991, entre eles o Estúdio de Daniel Libeskind em 1991. Em 2000/2002 foi professor convidado da cadeira de Arquitetura II no Curso de Arquitetura do ISCTE. Encontra-se finalizando, na qualidade de autor, a concepção de uma revista trimestral de arquitetura; design e paisagem a ser publicada no semanário *O Expresso*. Proferiu conferências em Houston, Salamanca, Santiago de Compostela, Budapeste, Bruxelas e em diversos eventos em Portugal. Em 1991 fundou ARX Portugal com seu irmão Nuno Mateus. Entre seus principais projetos destacam-se o Museu Marítimo de Ílhavo Portugal (1997/2001), o Projeto Expositivo para o Pavilhão do Conhecimento do Mares na Expo 98 em Lisboa, além de vários prêmios em concursos internacionais, entre eles o Centro Regional de Sangue de Coimbra, a Escola Superior de Tecnologia do Barreiro, a Escola Superior de Saúde de Setúbal (em projeto). Foi premiado no concurso internacional para Reformulação Urbana da zona Spreebogen em Berlim.

Karl Jasper

É jurista graduado em Bielefeld, na Alemanha. Desde 1991 chefiou a Representação Governamental do Estado de Nordrhein-Westphalen junto ao Projeto IBA-Emscher Park, cujos objetivos básicos foram a revitalização econômica, a integração social, a reestruturação urbanística e o desenvolvimento cultural da região industrial do Vale do Ruhr, que conta com uma população de 20 milhões de pessoas. Em 1997 tornou-se Diretor-Responsável do Grupo de Trabalho Urbanismo, Cultura e Patrimônio Histórico. Com o encerramento da etapa IBA (Exposição Internacional de Arquitetura) em 2000/ 2001, assumiu a Direção do Grupo de Projeto do Vale do Ruhr e, desde 2002, é Vice-Diretor do Departamento de Desenvolvimento Urbano do Ministério do Desenvolvimento Urbano, Habitação, Cultura e Esportes de Nordrhein-Westphalen.

Nabil Bonduki

Arquiteto, urbanista e professor de urbanismo da USP desde 1986. É mestre e doutor pela Faculdade de Arquitetura e Urbanismo da USP. Foi presidente do Sindicato dos Arquitetos do Estado de São Paulo de 1986 a 1989. Como superintendente de Habitação Popular da prefeitura de São Paulo, coordenou o Programa de Habitação do município durante a gestão Luiza Erundina (1989/1992). Realiza pesquisas e presta consultoria em políticas urbanas e habitacionais em vários municípios brasileiros e é um dos coordenadores do Projeto Moradia, do Instituto Cidadania, base do programa de governo de Lula. Foi eleito para seu primeiro mandato como vereador da cidade de São Paulo em 2000 e é vice-presidente da Comissão da Juventude e da Comissão de Política Urbana, dentro da qual preside a Subcomissão do Código de Obras. Foi vice-líder do Partido dos Trabalhadores, relator do Plano Diretor e do projeto para reestruturação do sistema de transporte do município. É autor de vários livros entre os quais, *Origens da habitação social no Brasil* e *Habitar São Paulo* (Estação Liberdade).

Nathalie de Vries

Graduou-se pela Faculdade de Arquitetura da Universidade Técnica de Delft em 1990. Trabalhou como arquiteta nos escritórios Martinez Lapenas & Torres Arquitectos (Barcelona), D.J.V. Architects (Roterdã) e Mecanoo Architects (Delft). Faz regularmente palestras e workshops em escolas e institutos do mundo inteiro. É professora do Berlage Institute, da Academia de Artes Construtivas de Arnhem e da Faculdade de Arquitetura da Universidade Técnica de Delft. É professora convidada do Technical University Berlin, da TU Delft e da TU Montevidéu. É membro do Netherlands Architecture Fund e foi co-editora do livro *Eating Brazil*. Fez palestras em diversas instituições de vários países. Após ganhar o primeiro prêmio no Europan de Berlim, fundou em 1991, com Winy Maas e Jacob van Rijs, o escritório de arquitetura MVRDV. Dentre os projetos, destaque para a Villla VPRO, o pavilhão holandês da Expo 2000 em Hannover, e o Silodam, em Amsterdã, enorme edifício de habitação inaugurado em 2002.

Patrick Berger

Doutor em urbanismo e professor de arquitetura da École Polytechnique Fédérale de Lausanne. Dentre seus principais projetos podemos destacar a Sede da UEFA (Nyon, Suíça), o Monumento da Comunicação (Ilha Awaji, Japão), o Viaduto das Artes (Paris, França), a Escola de Arquitetura de Bretagne (Rennes, França), o Parque André Citröen (Paris, França), o Centro Esportivo (Brétigny, França), o Novo Centro Medieval de Chartres (França, ganhador de concurso internacional, 1994), a Reestruturação do Centro Histórico de Samarcande (Ouzbékistan, ganhador de concurso internacional, 1991). Dentre as distinções, destaque para a Medalha de Prata da Academia de Arquitetura *Fondation Le Soufaché 1874* em 1996, primeiro prêmio na categoria Parques Urbanos pelo Parque Citröen (1992), primeiro prêmio de Arquitetura Pública pela Escola de Arquitetura de Bretagne (1990). Foi nomeado Cavaleiro em duas ocasiões: Ordre National du Mérite e des Arts et des Lettres.

Peter Cook

É graduado pelo Bournemouth College of Art no Departamento de Arquitetura (1953/1958) e pela Architectural Association em Londres. Trabalhou para James Cubitt and Partners (1960/1962). Em 1961, com Cedric Price e David Green, cria a revista *Archigram*. Em 1962, junta-se ao Grupo Woodrow Design criado por Theo Crosby Taylor. Com o suporte teórico e técnico do crítico Reyner Banham, co-produz vários projetos sob o nome Archigram, que questionam a sociedade ocidental e as relações entre arquitetura, cidade, mídia e consumo de massa. Começou carreira docente na AA, em 1964. Em 1973 é nomeado diretor do Instituto de Artes Contemporâneas de Londres. Entre 1976 e 1978 faz o projeto da cidade de Arcadia. Desde 1976 produz projetos arquitetônicos com Christine Hawley em Londres (Cook and Hawley). Além de diretor da Bartlett School of London University, foi professor de Arquitetura no Frankfurt Staedelschule, em 1984. Escreve regularmente para várias publicações como *Architectural Review* e *RIBA Journal*. Ganhou diversos prêmios em todo o mundo.

Pierre Bonnet

Arquiteto formado em Lausanne em 1989, estabeleceu escritório em Genebra, Suíça, em 1988, cidade onde está em curso um projeto de reabilitação urbana de sua autoria e cuja encomenda foi conquistada em concurso, onde obteve o primeiro prêmio. É autor de diversos outros projetos de escala urbana, a maior parte obtida com vitórias em concursos. Entre seus projetos com estudos em curso, destacam-se os alojamentos em Vésenaz, Genebra para cliente privado, a reforma de um espaço público do museu de Etnografia para a Cidade de Genebra, o serviço de reforma urbana (2003) e o estabelecimento de atendimento a pessoas com mal de Alzheimer, organizado pela Fondation Butini, Onex, Genebra, e em colaboração com M. Adam Bonne (2002/2005).

Regina Maria Prosperi Meyer

Arquiteta formada pela Universidade Federal de Brasília em 1974, com especialização em Urban Design and Urban Planning pela Architecture School of Architecture, Londres, mestrado em Arquitetura e Urbanismo pela Bartlett School of Archicteture, University College, London University, e doutorado realizado na Faculdade de Arquitetura e Urbanismo da USP. É professora do Departamento de História da FAU-USP desde 1984 e é consultora científica da Associação Viva o Centro. Foi diretora do Departamento do Patrimônio Histórico da Secretaria de Cultura do Município de São Paulo (1982/1984), assessora para projetos especiais da Secretaria de Estado da Cultura (1985/1987) e coordenadora da implantação das Oficinas Culturais Oswald de Andrade (1984/1986). Atualmente, através de convênio USP/Cebrap, desenvolve a pesquisa "São Paulo metrópole terciária: entre a modernização pós-industrial e a herança territorial da industrialização".

Riek Bakker

Nascida em Amsterdã, Holanda. Formou-se arquiteta paisagista na Escola de Paisagismo e Jardinagem de Boskoop. Idealizadora de grandes empreendimentos em Roterdã, seu projeto mais espetacular é o *Kop van Zuid*, a criação de um bairro novo, em uma antiga e deserta área portuária na margem sul do rio Nieuwe Maas, que conta hoje com habitações, escritórios, áreas comerciais e de recreação e é um dos maiores empreendimentos de Roterdã. A área ostenta escritórios projetados por arquitetos de renome internacional, como Renzo Piano, Norman Foster, Peter Wilson e Rem Koolhaas, sendo que a nova ponte Erasmus, projeto de Ben van Berkel, tornou-se um símbolo ao reunificar a cidade. O projeto também teve como objetivo garantir que a população de baixa renda da margem sul fosse beneficiada, econômica e culturalmente, pelos novos empreendimentos. A arquiteta ainda atua como supervisora da equipe internacional de qualidade. É fundadora e acionista majoritária da BVR – Consultants in Strategic Urban Planning, Landscape and Infrastructure, empresa responsável por diversos importantes projetos na Holanda e no exterior.

Roland Castro

Arquiteto graduado em 1969, desde 1971 é professor de Arquitetura na École d'Architecture de Paris La Villette. Em 1983 foi nomeado Encarregado de Missão pelo Primeiro Ministro no projeto nacional de desenvolvimento e embelezamento das periferias das grandes cidades – *Banlieues 89,* e delegado na Renovação dos Banlieues no Plano da Grande Paris, que previa a remodelação entre o anel parisiense e o centro. Encarregado de planejamento geral do departamento *Les Hauts de Seine* ligado à SEM 92 (Plano de luta contra a segregação urbana), foi arquiteto coordenador do Grande Eixo em Paris La Défense em 1995, projeto que visava para prosseguir o eixo histórico de Paris, do Louvre ao terraço de Saint Germain, e que consistia na criação de um canal de 1200 metros de comprimento formando uma grande avenida paisagística. Autor de *Civilisation urbaine ou barbarie* (Editora Plon, 1994), criou em 2000 a Associação Movimento para a Civilização Urbana, da qual é presidente. Desde 1988 é associado à arquiteta Sophie Denissof.

Su Dan

Graduado pela Escola de Arquitetura da Universidade Tecnológica de Ha Erbin em 1988, onde começou a lecionar no mesmo ano. Dedicou-se também ao exercício profissional nas áreas de arquitetura, planejamento e paisagismo até 1991, quando iniciou seu mestrado na Universidade de Tsinghua em Pequim com o tema "O Detalhamento da Arte Ambiental". Desde então tem se dedicado ao estudo do design de arte ambiental e tem participado de inúmeros projetos que envolvem engenharia, arquitetura e arte, com destaque para a torre de escritório da Estação Central de Rádio do Povo, o design de interiores do Aeroporto Internacional da capital, a reconstrução do pátio de escritórios Gongzi da Universidade Tsinghua, o design de interiores do Teatro Haidian em Pequim, o Parque Xishan na província de Zhejiang; o paisagismo do distrito residencial Changqingteng em Ningbo, província de Zhejiang; afrescos para a Estação de TV Baoding e a Estação de TV Wuhu na província de Anhui. Muitos de seus projetos foram premiados. Foi eleito como diretor da Associação Chinesa de Design de Interiores em 2000 e é professor de diversas Universidades na China.

coordenador

Abílio Guerra

Arquiteto, editor de www.vitruvius.com.br, professor da FAU PUC-Campinas e da FAU Belas Artes, mestre e doutor em História pelo IFCH-Unicamp e co-autor do livro *Rino Levi – arquitetura e cidade*. Foi editor da revista Óculum e atualmente é sócio da Romano Guerra Editora. Idealizador das Salas Especiais "Jo Coenen / Maastricht" e "Alberto Varas / Natural-Artificial" nas 3ª e 4ª Bienais de Arquitetura de São Paulo da Fundação Bienal. Foi coordenador geral do Workshop Rios Urbanos / Holanda Hoje, promovido pelo Consulado da Holanda.

debatedores

Affonso Risi Jr.

Arquiteto graduado pela FAU Mackenzie em 1972. Professor de arquitetura na FAU Mackenzie e na UNIP. Participou como palestrante do ciclo *Novas Tendências na Arquitetura Brasileira Contemporânea* promovido pelo IAB-SP, 1987. Suas obras foram expostas em mostras nacionais e estrangeiras. Recebeu o Prêmio Rino Levi do IAB-SP (1983) e o Prêmio Destaque na 2ª BIA-SP (1993).

Alex de Rijke

Formou-se em arquitetura pelo RIBA, em Londres, e estabeleceu seu escritório dRMM em Londres em 1995 com Philip Marsh e Sadie Morgan. Professor da Architectural Association e o Royal College of Art de Londres. Recebeu prêmios do RIBA e CABE.

Ângelo Bucci

Arquiteto, professor da FAU-USP, ganhador dos concursos nacionais para o Pavilhão do Brasil em Sevilha (1982) e do Concurso Nacional de Idéias do Memorial à República em Piracicaba (2002), ambos associado ao arquiteto Álvaro Puntoni. Ex-sócio do escritório MMBB.

Antonio Carlos Barossi

Arquiteto, professor da FAU-USP, responsável, com a arquiteta Helena Ayoub Silva, pelas obras de recuperação e restauro da Vila Penteado, prédio da FAU Maranhão. Sócio do escritório Barossi & Nakamura (antigo Galpão Arquitetos).

Carlos Roberto Monteiro de Andrade

Arquiteto formado pela FAU-USP (1974) e bacharel em Ciências Sociais pela FFLLCH-USP (1974), mestre e doutor pela FAU-USP (1992), atualmente Chefe do Departamento de Arquitetura e Urbanismo da Escola de Engenharia de São Carlos da Universidade de São Paulo.

Demetre Anastassakis

Arquiteto (UFRJ) e pós-graduado em Planejamento Urbano e Regional pelo COPPE-UFRJ. Presidente do IAB/RJ entre 1994/95.Diretor da Invento Espaços Anastassakis e Associados S/C Ltda.

Francisco Spadoni

Arquiteto (FAU PUC-Campinas) e professor (Mackenzie). Pós-graduação na Ecole D'Architecture de Paris-Villemin (1988 a 1990) e atualmente conclui doutoramento na Faculdade de Arquitetura e Urbanismo da USP. Tendo trabalhado no escritório Kenzo Tange & Associates em Paris, mantém escritório em São Paulo desde 1993.

Fernando de Mello Franco

Arquiteto, doutorando pela FAU-USP. Professor da EESC-USP e USJT. Sócio do escritório MMBB. Em colaboração com Paulo Mendes da Rocha, o escritório participou dos projètos do Centro Cultural FIESP, Poupatempo de Itaquera, Terminal de ônibus do Parque D. Pedro II e restauração da Oca.

José Magalhães Jr.

Arquiteto e urbanista, diretor do Departamento de Projetos Urbanos e presidente da Comissão de Proteção à Paisagem Urbana da Secretaria Municipal de Planejamento – SEMPLA. É professor na FAU Mackenzie e FAU-UNIP.

Lucio Gomes Machado

Arquiteto pelo Mackezie, é professor da graduação e pós-graduação da FAU-USP, onde obteve o título de mestre (1981) e doutorado (1992). Foi curador da 3ª e 4ª edições da Bienal Internacional de Arquitetura de São Paulo em 1997 e 1999/2000. Representante da área de Arquitetura e Urbanismo da FAPESP. É titular do escritório GMRAA.

Luis Espallargas Gimenez

Arquiteto, professor da FAU PUC-Campinas e da FAU-UNIP de São Paulo, doutorando pela FAU-USP, titular de escritório de projetos de arquitetura, responsável pela Base de Lançamento de Alcântara, pelos conjuntos arquitetônicos do SIVAM e pelo projeto do edifício dos programas Cingapura.

Marcelo Abrantes Linguitte

Gerente de Relações Empresariais do Instituto Ethos. Engenheiro civil pela Escola Politécnica da Universidade de São Paulo. Pós-graduação em Ética Empresarial pela PUC-SP. Responsável pela área de Relações Empresariais no Instituto Ethos, atua na organização desde 1998.

Marco do Valle

Arquiteto (FAU-PUC-Campinas) é mestre pela ECA-USP e doutor pela FAU-USP. Membro do Instituto de Artes da Unicamp é professor dos cursos de artes plásticas, arquitetura e história. Atualmente é assessor especial na área da cultura da Prefeitura Municipal de Campinas, sendo o coordenador do Projeto de Restauro do Palácio dos Azulejos.

Maria Angela Faggin Pereira Leite
Professora Titular do Departamento de Projeto da FAU-USP. Estuda e pesquisa projeto e uso dos de espaços livres públicos na área de Paisagem e Ambiente da FAU-USP, onde é atual Vice-diretora. É autora, entre outros, do livro *Destruição ou desconstrução?* (Hucitec, 1994).

Maria Cristina da Silva Leme
Arquiteta e professora (FAU-USP), fez pós-doutoramento na França, no Centre de Sociologie Urbaine, CSU, França (1994) e na École d'Architecture de Versailles, LADRAUHS (1996). Presidente da Associação Nacional de Pós-Graduação e Pesquisa em Planejamento Urbano e Regional – ANPUR de 2001 a 2003.

Milton Braga
Arquiteto, mestre e doutorando pela FAU-USP, professor da FAU-USP. Sócio do escritório MMBB. Em colaboração com Paulo Mendes da Rocha, o escritório participou dos projetos do Centro Cultural FIESP, Poupatempo de Itaquera, Terminal de ônibus do Parque D. Pedro II e restauração da Oca.

Pablo Benetti
Arquiteto (Rosário, Argentina) é mestre em Planejamento Urbano e Regional pelo IPPUR-UFRJ e doutor em Estruturas Ambientais Urbanas pela FAU-USP. Diretor da Faculdade de Arquitetura e Urbanismo da UFRJ. Autor de projetos urbanos e arquitetônicos, foi ganhador de concursos nos programas Rio Cidade I e II (1993-1997) e Favela-Bairro (1995).

Paul Meurs
Arquiteto, sócio da empresa de consultoria Urban Fabric Schiedam e professor da Universidade de Tecnologia de Delft. Organizador do projeto Design Solidário para desenvolvimento de produtos e marketing para cooperativas em Serrita, Pernambuco, e na Favela Monte Azul, São Paulo, em colaboração com a Academia de Design de Eindhoven, A Casa e Acoma, São Paulo, e Fundação Padre João Câncio, Serrita.

Paulo Bruna
Arquiteto e professor (FAU-USP), fez pós-doutorado no Massachusetts Institute of Technology (MIT) em 1984-85. Foi diretor do escritório Rino Levi Arquitetos Associados de 1972 a 1991. Em janeiro de 1992, associado ao arquiteto Roberto Cerqueira César, criou o escritório Paulo Bruna Arquitetos Associados S/C Ltda.

Renato Anelli
Arquiteto (FAU PUC-Campinas), mestre em História (IFCH-Unicamp), doutor em Arquitetura (FAU-USP) e Livre Docente (EESC-USP, 2001). É professor do Departamento de Arquitetura e Urbanismo da Escola de Engenharia de São Carlos-USP. Atualmente é Secretário de Obras e Serviços Públicos da Prefeitura Municipal de São Carlos.

Ricardo Toledo Silva
Arquiteto, mestre, doutor, professor e atual diretor da FAUUSP. Pós-graduado no Bouwcentrum de Rotterdam (Holanda) e Politecnico di Torino (Itália). Coordenador do Núcleo de Pesquisa em Informações Urbanas (INFURB) da USP. Foi Secretário de desenvolvimento urbano do Ministério da Habitação, Urbanismo e Meio Ambiente e Secretário Geral Adjunto do Ministério da habitação e Bem-Estar Social.

Roberto Segre
Professor Titular no DPA/FAU/UFRJ, Rio de Janeiro, e Professor Titular Consultor na FAU/ISPJAE de Havana, Cuba. Pesquisador do CNPq. e professor no Programa de Pós-Graduação em Urbanismo, FAU/UFRJ. Especialista em história da arquitetura na América Latina e o Caribe.

Rosa Grena Kliass
Arquiteta e mestre (FAU-USP), fundadora da ABAP – Associação Brasileira de Arquitetos Paisagistas, foi por várias vezes Presidente dessa entidade. Vice Presidente da IFLA – Federação Internacional de Arquitetos Paisagistas na gestão 2000/2002, é atualmente a delegada da ABAP junto a essa entidade.

Patrick Berger, palestra no Fórum de Debates da 5ª BIA, Fundação Bienal de São Paulo, 17 de setembro de 2003
Foto Juan Guerra

Imagem da capa
Morfologia do estado natural e construído do Arco do Lago Leman. Cadeira do Professor Patrick Berger, Ecole Polytechnique Fédérale de Lausanne 2003
Perspectiva de Julien Abinal

Fotos dos palestrantes de Juan Guerra